Vocabulaire canadien du Quaternaire

Canadian Quaternary Vocabulary

Bulletin de terminologie 209

Terminology Bulletin 209

Chantal Cormier

Photo

Glace et roche dans les chaînons Kluane au Yukon. Photo de R.J. Fulton et M. Petre	Ice and rock in the Kluane Ranges, Yukon. Photo: R.J. Fulton and M. Petre

© Ministre des Approvisionnements et Services Canada 1992

En vente au Canada chez

votre libraire local

ou par la poste auprès du

Groupe Communication Canada - Édition
Ottawa (Canada) K1A 0S9

N° de catalogue S52-2/209-1992
ISBN 0-660-57486-1

© Minister of Supply and Services Canada 1992

Available in Canada through

your local bookseller

or by mail from

Canada Communication Group - Publishing
Ottawa, Canada K1A 0S9

Catalogue No. S52-2/209-1992
ISBN 0-660-57486-1

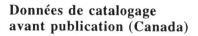

Données de catalogage avant publication (Canada)	Canadian Cataloguing in Publication Data

Cormier, Chantal, 1963-

Vocabulaire canadien du
Quaternaire = Canadian
Quaternary vocabulary

(Bulletin de terminologie =
Terminology bulletin ; 209)
Texte en français et en anglais.
Publ. par le Bureau de la traduction,
Direction de la terminologie et des
services linguistiques.
Comprend des références
bibliographiques.
ISBN: 0-660-57486-1
N° de cat. MAS: S52-2/209-1992

1. Géologie stratigraphique—
Quaternaire—Dictionnaires.
2. Géologie—Canada—Dictionnaires.
3. Français (Langue)—Dictionnaires.
4. Géologie stratigraphique—
Quaternaire—Dictionnaires français.
5. Géologie—Canada—Dictionnaires
français. 6. Anglais (Langue)—
Dictionnaires français. I. Canada.
Secrétariat d'État du Canada.
II. Canada. Bureau de la traduction.
Direction de la terminologie et des
services linguistiques. III. Titre.
IV. Titre: Canadian Quaternary
vocabulary. V. Coll.: Bulletin de
terminologie (Canada. Bureau de la
traduction. Direction de la
terminologie et des services
linguistiques) ; 209.

QE696.C67 1992   551.7'9'0971
C92-090930-2F

Cormier, Chantal, 1963-

Vocabulaire canadien du
Quaternaire = Canadian
Quaternary vocabulary

(Bulletin de terminologie =
Terminology bulletin ; 209)
Text in English and French.
Issued by the Translation Bureau,
Terminology and Linguistic Services
Directorate.
Includes bibliographical references.
ISBN: 0-660-57486-1
DSS cat. no.: S52-2/209-1992

1. Geology, Stratigraphic—
Quaternary—Dictionaries.
2. Geology—Canada—Dictionaries.
3. English language—Dictionaries—
French. 4. Geology, Stratigraphic—
Quaternary—Dictionaries—French.
5. Geology—Canada—Dictionaries—
French. 6. French language—
Dictionaries—English. I. Canada.
Dept. of the Secretary of State of
Canada. II. Canada. Translation
Bureau. Terminology and Linguistic
Services Directorate. III. Title.
IV. Title: Canadian Quaternary
vocabulary. V. Series: Bulletin de
terminologie (Canada. Translation
Bureau. Terminology and Linguistic
Services Directorate) ; 209.

QE696.C67 1992   551.7'9'0971
C92-090930-2E

Table des matières

Table of Contents

Avant-propos

Le *Vocabulaire canadien du Quaternaire* est un répertoire bilingue produit conjointement par le Secrétariat d'État du Canada et la Commission géologique du Canada. Il se rattache à la série de la *Géologie du Canada* dont chaque volume thématique traite d'une discipline des sciences de la Terre ou d'une province géologique canadienne. Le présent vocabulaire est un complément au premier volume de cette série, *Le Quaternaire du Canada et du Groenland*, qui a été publié simultanément en anglais et en français. Pour produire la version française, la Commission géologique s'est associée, en janvier 1988, au Bureau de la traduction du Secrétariat d'État et, plus particulièrement, à la Direction des services de traduction ministériels d'Énergie, Mines et Ressources Canada ainsi qu'à la Direction de la terminologie et des services linguistiques. Cette dernière a fourni à l'équipe de traducteurs détachée auprès de la Commission l'appui terminologique requis. Elle a, en outre, effectué les recherches en vue d'établir le présent vocabulaire.

Cet ouvrage reflète les réalités nord-américaines relatives au Quaternaire et il fournit des

Foreword

The *Canadian Quaternary Vocabulary* is a bilingual terminological publication produced by the Department of the Secretary of State of Canada and the Geological Survey of Canada. It is related to the *Geology of Canada* collection, a series of single volumes, each dealing with a specific discipline of Earth Sciences or a Canadian geological province. The vocabulary complements the first volume of the collection, entitled *Quaternary Geology of Canada and Greenland*, which was published in both English and French. The French version of the volume was planned in January 1988, when the Geological Survey of Canada enlisted the help of the Translation Bureau of the Department of the Secretary of State, in particular the Departmental Translation Services at Energy, Mines and Resources Canada, and the Terminology and Linguistic Services Directorate (TLSD). The TLSD was responsible for the terminological research work undertaken both to assist the team of translators working at the Geological Survey and to complete the vocabulary.

This publication covers a number of concepts that deal specifically with North American Quaternary

solutions aux problèmes terminologiques les plus fréquents. De plus, il comble une lacune importante, car il n'existait pas de publication lexicale bilingue offrant une terminologie uniformisée sur le sujet. Il devrait donc constituer une source de renseignements utiles pour les traducteurs, les rédacteurs et les spécialistes.

Conscients de leurs rôles respectifs en ce qui concerne la promotion des langues officielles, le Secrétariat d'État du Canada et la Commission géologique du Canada sont fiers de présenter ce vocabulaire qui, espèrent-ils, favorisera la communication entre les deux principaux groupes linguistiques du pays. Nous remercions et félicitons en particulier tous ceux et toutes celles qui ont travaillé à sa préparation.

geology as well as solutions to the most common terminological problems. It bridges an important information gap since it is the first bilingual vocabulary on the subject. The *Canadian Quaternary Vocabulary* should become a source of useful information for translators, editors and specialists alike.

Aware of the importance of their respective roles in the promotion of official languages, the Department of the Secretary of State of Canada and the Geological Survey of Canada are proud to be associated with the publication of this vocabulary, which is intended as a vehicle for facilitating communication between Canada's two main language groups. In closing, we would like to express our gratitude to all those who have worked on the project.

Sous-ministre adjoint (Secteur de la Commission géologique du Canada),

Le sous-secrétaire d'État adjoint (Langues officielles et Traduction),

E.A. Babcock

Roger Collet

Assistant Deputy Minister (Geological Survey of Canada Sector)

Assistant Under Secretary of State (Official Languages and Translation)

Introduction

Le Quaternaire est la période géologique la plus récente, et donc celle que nous connaissons le mieux. C'est par ailleurs au cours de cette période, caractérisée surtout par des glaciations, par des variations climatiques et par divers autres processus engendrés par ces dernières, que la surface de la Terre, façonnée par les processus géologiques, a pris l'aspect que nous lui connaissons aujourd'hui. Il n'est pas déraisonnable de croire que les changements climatiques futurs seront calqués sur ceux des périodes antérieures; d'où la nécessité, pour être en mesure de les prévoir et d'en prédire les effets, de connaître les caractéristiques et les mécanismes des variations du Quaternaire.

C'est, d'une part, pour encourager et faciliter la communication entre les spécialistes, et d'autre part, pour favoriser l'avancement des connaissances sur le sujet, que la Direction de la terminologie et des services linguistiques et la Commission géologique du Canada ont décidé de préparer un vocabulaire des termes propres au Quaternaire. Elles souhaitent du même coup offrir aux traducteurs et aux rédacteurs scientifiques un ouvrage de

Introduction

The Quaternary is the latest geological period and therefore the one we know best. It is the time during which geological processes fashioned the surface of the Earth as we know it today, a period characterized predominantly by glaciation and climatic change, as well as by other processes fuelled by climatic oscillations. Because patterns of climatic change similar to those which occurred in the past will, in an all likelihood, occur in the future, we need an understanding of the mechanisms and patterns of climatic change during the Quaternary in order to be able to predict future changes.

The production of a vocabulary of terms relating to the Quaternary was made possible by the Terminology and Linguistic Services Directorate and the Geological Survey of Canada, who both felt that a publication of this kind would be a useful medium for encouraging and facilitating communication between specialists, and consequently for promoting a better understanding of the subject. This publication is also intended to be used as a valuable reference tool for

référence utile.

Le vocabulaire comprend des termes qui sont à la fois propres au Quaternaire et à plusieurs domaines des sciences de la Terre (géologie, géomorphologie, stratigraphie, sédimentologie et géochronologie). Beaucoup d'entre eux ont été tirés d'une nomenclature établie par la Direction des services de traduction ministériels d'Énergie, Mines et Ressources Canada. Pour compléter le corpus initial, nous avons consulté un nombre important de monographies, d'articles et de dictionnaires spécialisés. Par souci d'assurer la qualité de l'information fournie, nous avons soumis le manuscrit à des spécialistes du domaine; leurs observations nous ont permis non seulement de préciser certaines notions, mais aussi de compléter les entrées et de faire les regroupements synonymiques nécessaires.

Le tiers des entrées, environ, sont accompagnées de définitions anglaises et françaises. C'est leur importance, leur degré de difficulté, leur place dans un réseau notionnel donné ou encore la nécessité de les distinguer de notions apparentées qui ont déterminé le choix des entrées à définir. Enfin, les tableaux anglais et français des principales divisions stratigraphiques du Quaternaire sont présentés en annexe. Les lecteurs auront d'ailleurs remarqué que les noms d'entités géologiques de cette période ont été exclus du vocabulaire. Les personnes

translators and editors of scientific texts.

This vocabulary contains terms relating to the Quaternary as well as to several Earth Sciences fields (geology, geomorphology, stratigraphy, sedimentology, and geochronology). Initial research was carried out on the base list of terms prepared by the Departmental Translation Services at Energy, Mines and Resources Canada. Monographs, articles and specialized dictionaries were later consulted in order to complete the corpus. The manuscript was then submitted to specialists in order to ensure that the information produced was of good quality; the comments received enabled us not only to clarify some of the concepts, but also to complete and update a number of entries and synonyms.

English and French definitions have been included for about a third of the vocabulary's entries. These entries were selected because of their degree of importance or complexity within a particular concept network, or in order to distinguish a given entry from a closely related concept. An appendix of English and French tables was added in order to complete the publication. It is an illustration of the Quaternary's main stratigraphic divisions. Although the names of the geological features have not been included in the vocabulary, users may consult the index of the

désireuses d'en connaître la traduction sont invitées à consulter l'index qui accompagne *Le Quaternaire du Canada et du Groenland*, le premier volume de la *Géologie du Canada*. Cette série devrait permettre d'établir dans une certaine mesure la terminologie et la toponymie géologiques. On peut également consulter à ce sujet la Division de l'information géoscientifique de la Commission géologique du Canada.

Quaternary Geology of Canada and Greenland, the first volume of the *Geology of Canada* collection, for solutions to any translation problems encountered. This collection contains correct geological terminology and toponymy. The Geoscience Information Division of the Geological Survey of Canada may also be consulted for any additional questions.

Les lecteurs sont invités à faire parvenir leurs observations à l'adresse suivante:

Comments should be sent to the following address:

Direction de la terminologie et
    des services linguistiques
Secrétariat d'État du Canada
Ottawa (Ontario)
K1A 0M5

Terminology and Linguistic
    Services Directorate
Department of the Secretary
    of State of Canada
Ottawa, Ontario
K1A 0M5

Remerciements

Nous tenons à exprimer notre gratitude à toutes les personnes qui ont participé à la préparation du présent ouvrage. Nos remerciements s'adressent d'abord à l'équipe responsable de la traduction du premier volume de la série *Geology of Canada*, en particulier à Judith Kingsley, de la Direction des services de traduction ministériels d'Énergie, Mines et Ressources Canada, qui nous a fourni la nomenclature de départ.

Nous voudrions souligner la collaboration des spécialistes suivants, dont les observations ont permis d'améliorer le contenu de la publication :
Michel Bouchard, du Département de géologie de l'Université de Montréal, Nicole Carette, du Département de géographie de l'Université de Montréal, Serge Courbouleix, du Bureau de recherches géologiques et minières de France, Jean-Claude Dionne, du Département de géographie de l'Université Laval, John Elson, du Département de géologie de l'Université McGill, Michel Icole, du CNRS LUMINY, Bruno Landry, du Collège de Sherbrooke, Jean-Serge Vincent, de la Sous-division de la géologie du Quaternaire à la Commission

Acknowledgments

We would like to thank all of those who were involved in the preparation of this publication. We would like to thank the team of translators responsible for translating the first volume of the *Geology of Canada* collection, in particular Judith Kingsley of the Departmental Translation Services at Energy, Mines and Resources Canada, who provided us with the project's base list.

Also appreciated were the constructive comments made by the following specialists whose contribution made it possible for us to improve the contents of this publication: Michel Bouchard from the University of Montréal Geology Department, Nicole Carette from the University of Montréal Geography Department, Serge Courbouleix from the Bureau de recherches géologiques et minières in France, Jean-Claude Dionne from the Laval University Geography Department, John Elson from the McGill University Geology Department, Michel Icole from the CNRS LUMINY, Bruno Landry from the Collège de Sherbrooke and Jean-Serge Vincent from the Quaternary Geology Subdivision at the Geological Survey of Canada. Special thanks are extended to

géologique du Canada, et plus particulièrement Peter P. David, du Département de géologie de l'Université de Montréal.

Nous ne voudrions pas passer sous silence le suivi constant qu'ont assuré Pascale Côté, coordonnatrice du projet à la Commission géologique du Canada, Normand Lemieux, réviseur en chef de l'équipe de traduction, et Charles Skeete, chef d'équipe à la Direction de la terminologie et des services linguistiques. Nos remerciements vont aussi à Michel Veyrat et à Colin Roberts qui ont traduit une partie des définitions.

Nous remercions enfin Julia Jackson de l'American Geological Institute qui nous a autorisés à reproduire certaines définitions provenant du *Glossary of Geology*.

Peter P. David from the University of Montréal Geology Department for his invaluable contribution.

The following persons also played a significant role in the project: Pascale Côté, project co-ordinator for the Geological Survey of Canada; Normand Lemieux, chief reviser for the team of translators; Charles Skeete, team leader and project co-ordinator for the Terminology and Linguistic Services Directorate; and Michel Veyrat and Colin Roberts, both of whom were responsible for translating definitions.

Finally, we would like to thank Julia Jackson from the American Geological Institute, who gave us permission to use definitions from the *Glossary of Geology*.

Chantal Cormier

Chantal Cormier

Guide d'utilisation

Pour alléger la présentation du vocabulaire et en faciliter la consultation, le classement des termes par ordre alphabétique ne tient pas compte des espaces ou des traits d'union. Il n'est pas tenu compte non plus, pour le classement, des chiffres qui précèdent un terme.

Abréviations et symboles

;	les synonymes sont séparés par des points-virgules
(adj.)	adjectif
cf.	renvoi à une notion apparentée
(inv.)	invariable
(n.)	nom
(n.f.)	nom féminin
(n.m.)	nom masculin
NOTA	remarque sur le sens ou l'emploi d'un terme
p. ex.	par exemple
(prop.)	proposition

User's Guide

To streamline the vocabulary and facilitate its use, all terms are alphabetized as if they were one word only; thus, spaces and hyphens are not taken into account. Also for this purpose, numerals are ignored when preceding a term.

Abbreviations and Symbols

;	indicates synonyms
(adj.)	adjective
cf.	identifies a cross-reference to a related concept
e.g.	for example
(n.)	noun
(v.)	verb
NOTE	identifies a comment on the meaning or use of a term
SEE	indicates under which entry this concept is defined or explained

VOIR   dans le lexique français-
anglais, renvoi à l'entrée
sous laquelle la notion
est définie ou commentée

(1), (2) numérotation
accompagnant les termes
qui recouvrent plus d'une
notion

(1), (2) numbers assigned to terms
which designate more than
one concept

abandoned cliff

falaise morte

ablation; wastage

All processes by which snow or ice is lost from a glacier, floating ice, or snow cover. These processes include melting, evaporation (sublimation), wind erosion, and calving. Sometimes calving is excluded, or the term may be restricted to surface phenomena.

NOTE Wastage always includes calving.

ablation

Perte de substance subie par un glacier sous l'effet de la fusion, de la sublimation, de l'érosion éolienne et du vêlage.

ablation area; ablation zone

zone d'ablation

ablation moraine

An uneven pile or continuous layer of ablation till or ablation debris, either overlying ice in the ablation area or resting on ground moraine derived from the same glacier, and exhibiting landforms produced by the downmelting process of stagnant ice.

moraine d'ablation

Accumulation irrégulière ou couche continue constituée de till d'ablation, qui repose sur la glace dans la zone d'ablation ou qui recouvre la moraine de fond déposée par le même glacier.

ablation season

période d'ablation

ablation till

Loosely consolidated rock debris, formerly in or on a glacier, that accumulated in place as the surface ice was removed by ablation.

till d'ablation

Till constitué de débris rocheux qui se trouvaient à l'intérieur ou à la surface d'un glacier, et qui ont été déposés pendant la fonte des glaces. Le till d'ablation recouvre généralement le till de fond composé de débris transportés à la base du glacier.

ablation zone; ablation area

zone d'ablation

above sea level; ASL

au-dessus du niveau de la mer; ASL; d'altitude
NOTA Par exemple : 25 mètres d'altitude.

abrasion
The mechanical wearing, grinding, scraping, or rubbing away (or down) of rock surfaces by friction and impact, in which the solid rock particles transported by wind, ice, waves, running water, or gravity are the tools of abrasion.

abrasion
Usure mécanique de la roche due au frottement de particules véhiculées par la mer, les cours d'eau, les glaciers ou le vent.

absolute age
The geologic age of a fossil organism, rock, or geologic feature or event given in units of time, usually years. It is obtained by radiometric dating methods.

âge absolu
Âge géologique d'un fossile, d'une roche, d'un événement ou d'un phénomène géologique, exprimé en unités de temps, et obtenu par datation radiométrique.

NOTA Le terme « âge absolu » est parfois considéré comme synonyme de « âge radiométrique » puisque l'âge absolu est toujours obtenu par l'une ou l'autre des méthodes de datation radiométrique.

absolute minimum temperature

température minimale absolue

accretion till
SEE basal till

accumulation area; accumulation zone; nourishment area; zone of accumulation
The area of a glacier in which annual accumulation exceeds ablation.

zone d'accumulation; région d'accumulation

Zone du glacier où l'accumulation annuelle est plus importante que l'ablation.

accumulation season

période d'accumulation

accumulation zone
SEE accumulation area

acicular ice

glace aciculaire

active glacier (1)
A glacier that has an accumulation area, and in which the ice is flowing.
NOTE The opposite of "dead glacier".

active glacier (2)
A glacier that moves at a comparatively rapid rate, generally in a maritime environment at a low latitude where accumulation and ablation are both large.
NOTE The opposite of "passive glacier".

active layer; mollisol
The top layer of ground subject to annual thawing and freezing in areas underlain by permafrost.

activity index
The rate of change with altitude of the net balance of a glacier, measured in the vicinity of the equilibrium line.

A.D.

Aftonian (n.); **Aftonian Interglacial Stage**
The classical first interglacial stage of the Pleistocene Epoch in North America, following the Nebraskan and preceding the Kansan Glacial Stage.
NOTE In the Alps, the first interglacial stage is called Günz-Mindel.

Aftonian (adj.)

Aftonian Interglacial Stage
SEE **Aftonian** (n.)

glacier actif (1)
Glacier alimenté dont la glace s'écoule.
NOTA Le contraire de « glacier mort ».

glacier actif (2)
Glacier à écoulement relativement rapide, en général présent dans un environnement maritime à basse latitude, où les taux d'accumulation et d'ablation sont élevés.
NOTA Le contraire de « glacier passif ».

mollisol
Couche superficielle du sol soumise au gel et au dégel annuels dans les régions pergélisolées.

coefficient d'activité
Taux de variation du bilan spécifique d'un glacier avec l'altitude, au voisinage de la ligne d'équilibre.

de notre ère
NOTA La notion étant le plus souvent implicite, il est inutile de toujours la préciser en français, surtout dans le cas des tableaux ou des figures.

Aftonien (n.); **Interglaciaire aftonien**
En Amérique du Nord, premier interglaciaire du Pléistocène, succédant au Nébraskien et précédant le Kansanien.
NOTA Dans les Alpes, l'équivalent de l'Aftonien est le Günz-Mindel.

aftonien (adj.)

3

Alaskan glacier; alaskan-type glacier

glacier alaskien; glacier de type alaskien

alluvial (1)

alluvial
Produit par les alluvions, p. ex. « plaine alluviale ».

alluvial (2)

alluvionnaire
Contenu dans les alluvions, p. ex. « or alluvionnaire ».

alluvial cone; dejection cone; hemicone; cone of detritus; debris cone (2)
An alluvial fan with steep slopes formed of loose material washed down the slopes of mountains by ephemeral streams and deposited as a conical mass of low slope at the mouth of a gorge.

cône de déjection; cône torrentiel

Cône alluvial à forte pente construit par un torrent.

alluvial deposit
SEE **alluvium**

alluvial fan; detrital fan
A fan-shaped deposit formed by a stream either where it issues from a narrow mountain valley onto a plain or broad valley, or where a tributary stream joins a main stream.

cône alluvial
Construction alluviale dans une plaine ou dans une large vallée, à la sortie d'une vallée étroite; elle a la forme d'une section de cône comprise entre deux génératrices.

alluvial fill

accumulation alluviale; remplissage alluvial

alluvial plain

plaine alluviale

alluvial river

rivière alluviale

alluvial terrace; stream-built terrace; drift terrace
A terrace formed when a river incises into its own valley fill.

terrasse alluviale; terrasse de remblaiement
Terrasse formée lorsqu'un cours d'eau entaille le remblaiement de vallée qu'il a déposé.

alluvium; alluvial deposit

alluvion
NOTA S'emploie surtout au pluriel.

alpine glacier; alpine-type glacier

glacier alpin; glacier de type alpin

altiplanation

altiplanation

altiplanation terrace

American Quaternary Association; AMQUA

amino-acid racemization age method; racemization age method
A method of geochronology based on the chemical racemization (or epimerization) of amino acids.

AMQUA; American Quaternary Association

anaglacial (n.); anaglacial phase

anaglacial (adj.)

anaglacial phase; anaglacial (n.)

anastomosing stream; braided stream

AP; arborescent pollen; tree pollen

apparent density; bulk density

AQQUA; Association québécoise pour l'étude du Quaternaire

aqueoglacial; glacioaqueous

arborescent pollen; tree pollen; AP

areal erosion

ASL
SEE above sea level

Association québécoise pour l'étude du Quaternaire; AQQUA

asymmetric ridge

atmospheric water

terrasse d'altiplanation

American Quaternary Association; AMQUA

datation par les acides aminés

Méthode de datation basée sur la racémisation des acides aminés, c'est-à-dire la conversion, en fonction du temps, des stéréoisomères L en stéréoisomères D.

AMQUA; American Quaternary Association

anaglaciaire (n.m.); phase anaglaciaire

anaglaciaire (adj.)

anaglaciaire (n.m.); phase anaglaciaire

cours d'eau anastomosé

pollen d'arbres

densité apparente

AQQUA; Association québécoise pour l'étude du Quaternaire

glacio-aquatique; glaciaquatique

pollen d'arbres

érosion aréolaire

Association québécoise pour l'étude du Quaternaire; AQQUA

crête dissymétrique

eau atmosphérique

aufeis

avulsion

aufeis

avulsion

B

backwall
SEE headwall

backwasting
SEE glacial retreat

balanced rock; pedestal rock;
   perched block; perched boulder;
   perched rock

bloc perché

balance year; budget year
For a glacier, the period from the
time of arrival of the first snowfall
in one year to the time of arrival of
the first snowfall in the succeeding
year.

année budgétaire
Dans le cas d'un glacier, temps écoulé
entre la première chute de neige de
l'année et la première chute de neige
de l'année suivante.

banding
The occurrence of a layered structure
in glacier ice, due to alternating
layers of coarse-grained and
fine-grained ice or bubbly and clear
ice.

rubanement
Structure rubanée de la glace d'un
glacier, due à l'alternance de couches
de glace de granulométries ou de
couleurs différentes.

barrens
Areas relatively barren of vegetation
because of adverse soil or climatic
conditions.

landes
Régions relativement dépourvues de
végétation en raison des conditions
climatiques et du sol défavorables.
NOTA Terme qui s'emploie aussi au
singulier.

barrier lake
A small body of water that lies in a
basin, retained there by a natural
dam or barrier.

lac de barrage
Lac dont les eaux sont retenues par un
barrage naturel, p. ex. un glacier ou
une moraine.

basal ice; basal ice layer
Ice at the bottom of a glacier or ice
sheet.

couche de glace basale
Glace qui se trouve à la base d'un
glacier ou d'une nappe glaciaire.

basal sapping
The undercutting, or breaking away of rock fragments, along the headwall of a cirque, due to frost action at the bottom of a bergschrund.

sapement basal
Affouillement, ou désagrégation de la roche, le long du mur de rimaye; ce phénomène est provoqué par l'action du gel-dégel à la base du rimaye.

basal sliding; basal slip
The sliding of a glacier on its bed.

glissement basal
Glissement d'un glacier sur son lit.

basal slope; wash slope

versant colluvial

basal till; accretion till
A firm clay-rich till containing many abraded stones dragged along beneath a moving glacier and deposited upon bedrock or other deposits.
cf. **lodgement till**

till de fond (2)
Till compact et dense composé de débris rocheux abandonnés par le glacier qui les traînait à sa base.
NOTA Le terme « till de fond » désigne indifféremment les tills avec ou sans orientation des particules.

basket-of-eggs topography
SEE **drumlin field**

beach ridge

crête de plage; levée de plage

beaded esker
An esker with numerous beadlike expansions and contractions in width, strung out along its length.

esker en chapelet; esker perlé
Esker dont la forme irrégulière est due à l'alternance d'étranglements et d'élargissements.

bedded

lité

bedding

litage

bedrock

substratum rocheux; roche en place
NOTA Les termes « substratum rocheux » et « roche en place », s'ils traduisent tous les deux *bedrock*, sont employés dans des contextes différents. « Substratum rocheux » désigne la roche sur laquelle repose une formation géologique ou un dépôt donné, tandis que « roche en place » est un terme général désignant une formation rocheuse quelconque recouverte ou non de sédiments ou d'une autre formation.

before present; BP
An indication of time calculation, used especially when referring to radiometric dating; it indicates that the quoted date is calculated from A.D. 1950.

bench gravel

bergschrund
A deep, narrow crack near the back of a cirque glacier, marking the line along which the glacier ice is moving away from the cirque's backwall.

berg till; floe till; subaqueous till; glacionatant till
A glacial material which has the characteristics of till and lacustrine clay, and is formed from materials rafted into glacier-margin lakes by icebergs.

black ice

block field; stone field

A surficial layer of angular shattered rocks formed in either modern or Pleistocene periglacial environments.

block glide

block of (stagnant) ice

blue ice

boar's back
SEE horseback

BP
Abréviation de l'anglais *before present*, utilisée surtout pour les datations en laboratoire. Dans les textes, on préconise l'expression « avant le présent », l'année 1950 de notre calendrier étant considérée comme le présent.

gravier de terrasse

rimaye (n.f.)
Intervalle étroit et profond entre la paroi d'un cirque glaciaire et la glace ou le névé, dû au mouvement de descente du névé et le séparant à la périphérie des parois rocheuses du cirque (mur de rimaye).

till submergé; till d'iceberg

Sédiment glaciaire ayant les caractéristiques du till et de l'argile lacustre, et composé de matériaux transportés par les icebergs et déposés dans les lacs proglaciaires.

glace noire

champ de blocs (1); champ de pierres
Couche superficielle de pierres ou de blocs mise en place dans un environnement périglaciaire récent ou d'âge pléistocène.

glissement en bloc

culot de glace (morte)

glace bleue

bog
A peatland, generally with the water table at or near the surface. The bog surface, which may be raised or level with the surrounding terrain, is virtually unaffected by the nutrient-rich groundwaters from the surrounding mineral soils and is thus generally acid and low in nutrients.

tourbière oligotrophe
Tourbière dont la nappe phréatique se situe généralement au niveau ou près de la surface. Sa surface, qui peut être surélevée ou au même niveau que les terres adjacentes, ne subit pratiquement aucune influence des eaux souterraines riches en éléments nutritifs provenant des sols minéraux avoisinants, et est donc généralement acide et pauvre en éléments nutritifs.

border moraine
SEE **marginal moraine**

bottom layer

couche de base

bottom moraine
SEE **ground moraine**

bottomset bed; bottomset

lit de fond; lit basal

boulder

bloc

boulder clay
NOTE Obsolete term for "till".

argile à blocaux
NOTA Traduction littérale de *boulder clay*. Voir *till*.

boulder field

champ de blocs (2); plage de blocs

boulder pavement
A concentration of boulders as the result of the removal of finer particles by wind, water, or frost action.

pavage de blocs
Concentration de blocs à la surface du sol résultant de l'enlèvement des particules plus fines soit par le vent, l'eau, ou par les alternances de gel et de dégel.

boulder train
Glacial boulders arranged in a line, or in several lines, streaming off in the direction in which the glacier moved.

traînée de blocs glaciaires
Arrangement de blocs glaciaires alignés dans la direction de l'écoulement des glaces.

BP
SEE **before present**

braided stream; anastomosing stream

cours d'eau anastomosé

**Brunhes Normal Polarity Chron;
Brunhes Normal Polarity Epoch**
A polarity-chronologic division of
the Quaternary from 0.7 Ma to the
present period.

**Chrone polaire normal de Brunhes;
époque normale de Brunhes**
Division polaro-géochronologique du
Quaternaire de 0,7 Ma à la période
actuelle.

budget year
SEE balance year

bulge
NOTE "Forebulge" is sometimes
used as a synonym.

bourrelet périphérique

bulge collapse
NOTE "Forebulge collapse" is
sometimes used as a synonym.

**enfoncement périphérique;
dépression périphérique**

bulk density; apparent density

densité apparente

buried glacier

glacier enfoui

buried soil
Soil covered by eolian, alluvial,
colluvial or other deposits, usually to
a depth greater than the thickness of
the solum.
NOTE The term "buried soil" is
sometimes used incorrectly as a
synonym of "paleosol".

sol enfoui; sol enterré
Sol recouvert par une couche de
matériaux entièrement allochtones, le
recouvrement ayant pu être précédé de
l'érosion des sols.

buried valley
A depression in an ancient land
surface or in bedrock, now covered
by younger deposits; esp. a
preglacial valley filled with glacial
drift.

vallée enfouie
Dépression d'un relief ancien ou de la
roche en place, recouverte aujourd'hui
de sédiments plus récents; il s'agit
plus particulièrement d'une vallée
préglaciaire recouverte de sédiments
glaciaires.

**[14]C age; carbon-14 age;
radiocarbon age**

**âge ^{14}C; âge carbone 14; âge
radiocarbone**

calve (v.)

calving

The breaking off of a mass of ice from its parent glacier, iceberg, or ice shelf; the process of iceberg formation.

calving bay

Canadian Quaternary Association; CANQUA

carbon-14 age; radiocarbon age; ^{14}C age

carbon-14 dating; ^{14}C dating; radiocarbon dating

A method of determining an age by measuring the concentration of carbon-14 remaining in an organic material, usually formerly living matter, but also water bicarbonate, etc.

carried moraine
SEE **moraine in transit**

catchment area; hydrographic basin; drainage basin

^{14}C dating
SEE **carbon-14 dating**

characteristic fossil; diagnostic fossil

A fossil species or genus that is characteristic of a stratigraphic unit (formation, zone series, etc.) or time unit. It is either confined to the unit or is particularly abundant in it.

chattermark

vêler
NOTA Verbe normalement intransitif (p. ex. le glacier vêle) qui prend parfois la forme transitive (p. ex. le glacier vêle des icebergs); expression fautive : « l'iceberg vêle ».

vêlage
Fragmentation du front d'un glacier aboutissant dans la mer; cette fragmentation donne naissance aux icebergs.

baie de vêlage

Association canadienne pour l'étude du Quaternaire; CANQUA

âge carbone 14; âge radiocarbone; âge ^{14}C

datation par le carbone 14; datation ^{14}C; datation par le radiocarbone; radiodatation

Méthode de détermination d'un âge effectuée par la mesure de la concentration de carbone 14 de la matière organique (généralement des fossiles, mais aussi les bicarbonates contenus dans l'eau, etc.).

bassin versant; bassin de drainage; bassin hydrographique

fossile caractéristique

Espèce fossile à longévité courte, caractéristique d'une époque et permettant de définir les étages et leurs subdivisions pour chaque région.

brouture

chemical erosion
SEE corrosion

churn hole
SEE pothole

cirque
A deep steep-walled half-bowl-like recess or hollow, variously described as horseshoe- or crescent-shaped or semi-circular in plan, situated high on the side of a mountain and commonly at the head of a glacial valley, and produced by the erosive activity of a mountain glacier.

cirque
Dépression profonde en demi-cercle dominée par des parois rocheuses verticales ou très abruptes, formée par l'érosion glaciaire. Les cirques sont situés à flanc de montagne, et généralement à la tête des vallées glaciaires.

cirque floor

plancher de cirque; fond de cirque

cirque floor level; cirque niveau

niveau de cirque

cirque glacier
A small glacier occupying a cirque. It may be contained entirely within the rock basin or it may extend outwards beyond the lip of the cirque as a small glacier tongue.

glacier de cirque
Glacier de petite taille à l'intérieur d'un cirque. Il peut être contenu en entier dans le bassin de surcreusement, ou déborder du cirque sous forme de langue glaciaire.

cirque lake
A small body of water occupying a cirque. It may be retained entirely by the lip of the overdeepened rock hollow or it may be dammed by glacial moraines which mark the limits of the former cirque glacier.

lac de cirque
Lac de petite dimension occupant un cirque; les eaux sont retenues soit par le rebord de la dépression rocheuse surcreusée, soit par une moraine marquant les limites d'un ancien glacier de cirque.

cirque mountain; pyramidal peak; horn

aiguille glaciaire; aiguille pyramidale

cirque niveau; cirque floor level

niveau de cirque

cirque stairway; cirque steps
A succession of cirques situated in a row at different levels in the same glacial valley.

escalier de cirques
Succession de cirques disposés en gradins dans une vallée glaciaire.

cliff erosion
SEE sapping

cliff glacier

glacier de paroi

cliff retreat

recul des falaises

climate classification

climatic amelioration; climatic warming
A term designating a change to a warmer climate, applied specif. to the primary and secondary climatic trends of late glacial and Holocene time.

climatic deterioration
A term designating a change to a colder climate, applied specif. to the primary and secondary climatic trends of the late glacial and Holocene time.

climatic optimum; thermal optimum; thermal maximum

climatic snowline

climatic warming
SEE **climatic amelioration**

closed drainage
SEE **internal drainage**

closed ridge
A circular, elliptical, or irregularly shaped ridge of glacial material surrounding a central depression (or sometimes a mound of glacial material or a moraine plateau), and resulting from the melting of a block of stagnant ice.

cobble
cf. **pebble**

classification des climats; classification climatique

réchauffement climatique
Terme désignant une amélioration des conditions climatiques; il s'agit plus particulièrement des tendances climatiques primaires et secondaires de la fin de la période glaciaire et de l'Holocène.

refroidissement climatique
Terme désignant une détérioration des conditions climatiques; il s'agit plus particulièrement des tendances climatiques primaires et secondaires de la fin de la période glaciaire et de l'Holocène.

optimum climatique

limite climatique des neiges persistantes; limite climatique des neiges permanentes

crête fermée
Crête de forme irrégulière, circulaire, ou elliptique, constituée de matériaux glaciaires qui entourent une dépression centrale (ou parfois une butte de matériaux glaciaires ou un plateau morainique); cette crête est formée par la fonte d'un bloc de glace stagnante.

galet
NOTA Certains traduisent *cobble* par « caillou ». Les classifications granulométriques de langue française ne correspondent pas exactement à celles de langue anglaise. Nous préconisons les équivalents proposés dans le présent ouvrage.

cold-based glacier	glacier à base froide
cold fauna	faune froide; faune de climat froid

cold glacier
SEE polar glacier

cold ice	glace froide

cold loess
Periglacial loess derived from glacial outwash and formed in garlands about the Pleistocene ice sheets.

loess périglaciaire
Loess dérivé des dépôts d'épandage glaciaires, et formant des guirlandes le long des inlandsis du Pleistocène.

collapse landform

relief d'effondrement; paysage d'effondrement

columnar ice	glace columnaire

comb ridge

arête dentelée; arête en dents de scie; arête découpée

An arête marked by a series of pinnacles of rock needles.

Arête découpée par une série d'aiguilles rocheuses.

comminution till
SEE lodgement till

compound valley glacier
A glacier composed of two or more individual valley glaciers emanating from tributary valleys.

glacier de vallée composite
Glacier composé d'au moins deux glaciers individuels provenant de vallées tributaires.

compressing flow
A flow pattern on glaciers in which the velocity decreases with distance downstream; thus the longitudinal strain rate (velocity gradient) is compressive.

écoulement en compression
Type d'écoulement des glaciers caractérisé par une diminution de la vitesse en fonction de la distance vers l'aval.

concave chattermark	brouture concave
conchoidal chattermark	brouture conchoïdale

cone of detritus
SEE alluvial cone

confluence step

A valley step, rising upstream, caused by the strengthening of glacial action at the place of glacial confluence.

gradin de confluence

Gradin de vallée qui s'élève en amont, formé par l'intensification de l'action glaciaire au point de confluence du glacier.

congelifluction
SEE **gelifluction**

congeliturbation
SEE **cryoturbation**

conical hill; knob

colline conique

constructional landform

relief d'accumulation; forme d'accumulation

contemporary carbon; modern carbon

The isotopic carbon content of living matter, based on the assumption of a natural proportion of carbon-14.

carbone contemporain

Contenu en carbone isotopique de la matière organique basé sur l'hypothèse d'une proportion naturelle de carbone 14.

continental glacier

glacier continental

continental ice sheet

inlandsis

convex chattermark

brouture convexe

Cordilleran Ice Sheet

Inlandsis de la Cordillère

corrasion; mechanical erosion

A process of erosion whereby rocks and soil are mechanically removed or worn away by the abrasive action of solid materials moved along by wind, waves, running water, glaciers, or gravity.

corrasion

Usure mécanique des roches et du sol due à l'action abrasive des particules solides transportées par le vent, les vagues, les eaux courantes, les glaciers ou la gravité.

corrosion; chemical erosion

A process of erosion whereby rocks and soil are removed or worn away by natural chemical processes.

corrosion

Érosion des roches et du sol due à des processus chimiques.

corrugated ground moraine; corrugated moraine

A moraine perpendicular to the direction of ice flow, marking the position of old marginal lobes; it consists of a complex network of low, repetitive ridges which are irregularly branched and variable in length and width. The ridges of till give the surface a bumpy, rolling appearance emphasized by the presence of numerous ponds and depressions. A corrugated moraine differs from a Rogen moraine in size and form.

moraine de fond ondulée; moraine ondulée

Moraine perpendiculaire à l'écoulement glaciaire, marquant la position d'anciens lobes marginaux; elle est constituée d'un réseau complexe de crêtes basses et répétitives à ramifications irrégulières, de longueur et de largeur variables. Les crêtes formées de till donnent à la surface une apparence bosselée et ondulée, accentuée par la présence de nombreux étangs et dépressions. Une moraine ondulée diffère d'une moraine de Rogen par ses dimensions et sa forme.

couplet

Genetically related paired sedimentary laminae, generally occurring in repeating series, as varves, but applied to laminated nonglacial shales, evaporites, and other sediments as well.

couplet

Paire de lamines de même origine et généralement en séries répétitives, telles les varves. Le terme s'applique aussi aux sédiments laminés nonglaciaires tels les shales, les évaporites, etc.

crag

A knob of ice-smoothed, resistant bedrock obstructing the movement of the glacier.

nez rocheux

Protubérance rocheuse résistante et polie par la glace qui obstrue la progression du glacier.

crag and tail

An elongated hill or ridge in which a resistant mass of rock (the crag) has withstood the passage of an ice-sheet or glacier, thereby protecting an elongated ridge (the tail) of more easily eroded rocks on its leeward side.

crag-and-tail (n.m.)

Crête ou butte allongée, formée d'une masse de roche résistante qui obstrue le passage d'un glacier ou d'une nappe glaciaire, protégeant en aval une traînée effilée de roche plus tendre.

creep

The imperceptible but continuous movement of rock debris and soil down a slope in response to gravity.

reptation

Mouvement, à peine perceptible mais continu, du manteau de débris le long d'une pente.

crescentic fracture; crescentic crack

fracture de broutage

crescentic gouge; gouge mark; gouge; lunoid furrow

coup de gouge

crescentic scar; crescentic mark; lunate mark

cicatrice en croissant; marque en croissant; marque d'arrachement; cupule d'arrachement

crevasse filling
A relatively straight ridge of stratified sand and gravel, till or other sediments, formed by the filling of a crevasse in a stagnant glacier which later melted.

remplissage de crevasse
Crête rectiligne composée de matériaux stratifiés (till, sable et gravier, etc.) ayant été entraînés dans une crevasse d'un glacier stagnant.

cross-valley moraine
A moraine perpendicular to the direction of ice flow, formed of a succession of irregular ridges; these ridges were probably deposited in areas of old lakes or seas confined by the walls of a valley. In plan view, the ridges appear more irregular and closer together than in a De Geer moraine.

moraine transversale de vallée
Moraine perpendiculaire à l'écoulement glaciaire, formée d'une succession de crêtes irrégulières; celles-ci ont probablement été déposées dans des zones d'anciens lacs ou mers confinés par les murs d'une vallée. En plan, les crêtes sont plus irrégulières et plus rapprochées que les crêtes d'une moraine de De Geer.

cryoconite; kryoconite

cryoconite

cryoconite hole

trou à cryoconite; urne de cryoconite

cryokarst
SEE **thermokarst**

cryosphere

cryosphère

cryotectonic; glaciotectonic

cryotectonique; glaciotectonique
NOTA « Gélitectonique » et « glacitectonique » s'emploient aussi pour désigner la même notion.

cryotectonic thrust slice; glaciotectonic thrust slice

écaille glaciotectonique

cryoturbation; congeliturbation; geliturbation
A collective term used to describe all soil movements due to frost action.

cryoturbation; géliturbation
Terme générique englobant tous les mouvements du sol dus à la pénétration du gel ou à la gélivation.

cuesta

cuesta

cuesta backslope

revers de cuesta; versant cataclinal

current mark	**figure de courant; marque de courant**
current ripple; current ripple mark; parallel ripple mark	**ride de courant**

date
A specific or approximate position on the geologic time scale of a past geologic event.

datation (1)
Emplacement précis ou approximatif sur l'échelle géologique d'un événement géologique passé.

dating
Age determination of naturally occurring substances or relicts by any of a variety of methods based on the amount of change, happening at a constant, measurable rate, in a component. The changes may be chemical, or induced or spontaneous nuclear, and may take place over a period of time.

datation (2)
Action de déterminer l'âge d'une couche, d'un fossile ou d'une structure. Pour dater les couches, on utilise les principes et méthodes de la géochronologie.

datum level

The base or top of a range of fossils that can be correlated in sections over a wide area.

niveau de référence; plan de référence
Base ou sommet d'un groupe de fossiles dont la corrélation peut s'établir en sections sur une grande distance.

dead carbon

carbone inerte; carbone mort

dead glacier; stagnant glacier
A glacier that is without an accumulation area or is no longer receiving material from one. It may continue to spread or creep downhill due to its bulk and topographic setting.

glacier mort; glacier inactif
Glacier qui n'est plus alimenté ou qui n'a pas de zone d'accumulation; il continue parfois de se déplacer sous l'effet de la gravité.

dead ice; stagnant ice

glace morte; glace stagnante

dead-ice moraine; disintegration moraine; stagnation moraine

A moraine consisting of various kinds of materials, displaying typical knob-and-basin topography. This type of moraine frequently lacks linear elements, with no clearly defined orientation relative to ice flow. It is generally deposited by stagnant ice.

moraine de désagrégation

Moraine composée de matériaux de nature variée, présentant une topographie typique en bosses et en creux. Ce type de moraine est fréquemment dépourvu d'éléments linéaires, c'est-à-dire qu'il est sans orientation bien définie par rapport à l'écoulement glaciaire. La moraine est généralement déposée par des glaces stagnantes.

NOTA On dit aussi « moraine de décrépitude », « moraine de stagnation », et « moraine de glace morte ».

debris avalanche

avalanche de débris

debris cone (1)

A cone or mound of ice or snow on a glacier, covered with a veneer of debris thick enough to protect the underlying material from the ablation that has lowered the surrounding surface.

NOTE "Glacier cone" is a rarely used synonym of "debris cone".

cône de débris

À la surface d'un glacier, cône de neige ou de glace recouvert d'une mince couche de débris suffisamment épaisse pour le protéger de l'ablation qui exerce son action sur le reste de la surface.

debris cone (2)
SEE **alluvial cone**

debris flow

coulée de débris

debris slide

glissement de débris

deflation

déflation

defluent

A stream that flows from a lake or glacier.

diffluent

Bras d'un cours d'eau, d'un glacier, qui se sépare du bras principal.

deformation till

till d'entraînement; till de translocation

19

De Geer moraine
A moraine perpendicular to the
direction of ice flow, formed of a
succession of low, relatively narrow,
regularly spaced ridges; it was
probably deposited in shallow bodies
of water at the glacier snout.

deglaciation

**deglaciation pattern; pattern of ice
retreat**

degradation

dejection cone
SEE **alluvial cone**

delta

delta front

**deltaic outwash plain; delta
outwash plain**

**dendrochronology; tree-ring
chronology**

density current

denudation

deposit

deposited moraine
All rock debris deposited in the
ablation zone of a glacier; the
opposite of "moraine in transit".

deposition

moraine de De Geer
Moraine perpendiculaire à
l'écoulement glaciaire, constituée
d'une succession de crêtes basses,
relativement étroites et régulièrement
espacées; elle s'est sans doute déposée
dans des nappes d'eau peu profonde
qui talonnent le glacier.

déglaciation

**mode de déglaciation; mode de
retrait glaciaire**

dégradation

delta

front de delta

**plaine d'épandage deltaïque;
sandur-delta**

dendrochronologie

courant de densité

dénudation

dépôt (1)

moraine déposée
L'ensemble des débris rocheux
déposés dans la zone d'ablation d'un
glacier.

sédimentation; dépôt (2)
NOTA Le terme « dépôt » désigne
aussi bien l'action que le résultat. Le
terme « déposition » est à éviter.
   « Sédimentation », dans le sens de
dépôt, est employé surtout dans des
expressions telles « période de
sédimentation », « taux de
sédimentation », « bassin de
sédimentation ».

depositional remanent magnetization; detrital remanent magnetization; DRM	aimantation rémanente de dépôt
depositional tail	traînée sédimentaire
depression	dépression
depth hoar	givre de profondeur; neige granulée de profondeur; givre interne
derived fossil	fossile remanié
destructional landform	relief d'érosion; forme d'érosion; modelé d'érosion
detrital fan SEE alluvial fan	
detrital remanent magnetization; DRM; depositional remanent magnetization	aimantation rémanente de dépôt
detritus	charge détritique; matériel détritique
diagnostic fossil SEE characteristic fossil	
diamictic	diamictique
diamicton Any non-sorted or poorly sorted unconsolidated sediment that contains a wide range of particle sizes.	diamicton Tout sédiment meuble, non trié ou mal trié, constitué de particules de granulométrie très variée.
differential erosion	érosion différentielle
differential isostatic rebound	relèvement isostatique différentiel
differential weathering; selective weathering	altération différentielle
diffluence pass	col de diffluence
diffluence step A valley step, rising downstream, caused by the weakening of glacial action at the place of glacial diffluence.	gradin de diffluence Gradin de vallée qui s'élève en aval, formé par l'atténuation de l'action glaciaire au point de diffluence du glacier.

dirt band

dirt cone

A cone or mound of ice or snow on a glacier, covered with a veneer of silt thick enough to protect the underlying material from the ablation that has lowered the surrounding surface.

discordant junction

disintegration moraine
SEE dead-ice moraine

disintegration ridge; ice-block ridge

Circular or linear ridge that contains till or gravel and sand, associated with the disintegration of stagnant ice, and formed by the squeezing of till from beneath the ice, or by the slumping of debris from the ice surface into fracture systems or crevasses.

dispersal shadow

dissected plateau

dissolution; solution

doline; shakehole; sinkhole

dome

doughnut mound; doughnut ridge

downcutting; vertical erosion

downwasting
The thinning of a glacier during ablation.

drainage basin; catchment area; hydrographic basin

bande boueuse; bande sale

cône couvert; cône de boue

À la surface d'un glacier, cône de neige ou de glace recouvert d'une mince couche de silt suffisamment épaisse pour le protéger de l'ablation qui exerce son action sur le reste de la surface.

confluent discordant

crête de désagrégation

Crête circulaire ou linéaire formée de till ou de sable et gravier provenant de la désagrégation glaciaire. Elle est formée par la remontée du till comprimé par les blocs de glace, ou par la chute de débris dans des réseaux de fractures ou dans des crevasses.

traînée de dispersion

plateau disséqué

dissolution

doline

dôme

monticule en beignet; crête en beignet

érosion verticale; érosionlinéaire

amaigrissement
Diminution du volume d'un glacier durant la période d'ablation.

bassin versant; bassin de drainage; bassin hydrographique

drainage pattern; drainage network

The configuration or arrangement in plan view of the natural stream courses in an area. It is related to local geologic and geomorphologic features and history.

réseau hydrographique

Configuration ou arrangement de l'ensemble des cours d'eau naturels d'une région. Le réseau hydrographique peut être relié aux formes et à l'histoire géologiques et géomorphologiques de la région.

drift

sédiments glaciaires (1); matériaux de transport glaciaire
NOTA Drift : terme aussi employé pour désigner cette notion, surtout dans ie cas d'entités formelles, p. ex. le Drift de Port-Stanley, le Drift de Catfish Creek.

drift-barrier lake
SEE morainal-dam lake

drift dam

barrage de sédiments glaciaires

drift ice

glace de dérive

drift prospecting

prospection glacio-sédimentaire

drift terrace
SEE alluvial terrace

DRM; depositional remanent magnetization; detrital remanent magnetization

aimantation rémanente de dépôt

dropstone

An oversized stone in laminated sediment that depresses the underlying laminae and may be covered by "draped" laminae.
NOTE Most dropstones originate through ice-rafting; other sources are floating tree roots and kelp holdfasts.

bloc délesté; bloc de délestage

Roche, bloc, ou galet de très grande taille qui se trouvent dans un sédiment laminé; il déforme les lamines inférieures, et les lamines qui le recouvrent épousent sa forme.
NOTA La plupart de ces blocs étaient, à l'origine, transportés par des glaces flottantes, ou encore, par des racines d'arbres ou des crampons d'algues flottants.

drowned valley

vallée ennoyée

drowning

The submergence of a land surface
or topography beneath water, either
by a rise in the water level or by a
sinking or subsidence of the land
margin.

drumlin

A low, smoothly rounded, elongate
oval hill, mound, or ridge of compact
glacial till, or, less commonly, other
kinds of drift, built under the margin
of the ice and shaped by its flow, or
carved out of an older moraine by
readvancing ice; its longer axis is
parallel to the direction of movement
of the ice. It usually has a blunt nose
pointing in the direction from which
the ice approached, and a gentler
slope tapering in the other direction.

drumlin field

NOTE "Basket-of-eggs topography"
is a colloquial term used for
"drumlin field".

drumlinoid (adj.)

drumlinoid ridge; drumlinoid (n.)

A markedly elongated ridge
composed of glacial drift or till,
cigar-shaped in plan, and more or
less tapered at both ends.

dry-based glacier

dry calving

ennoiement; ennoyage

Invasion ou submersion d'un modelé
continental par les eaux marines, à la
suite d'un mouvement positif du
niveau de la mer, de mouvements
tectoniques, de tassements, etc.

NOTA Le terme « ennoyage » a une
acceptation plus large; il comprend
aussi l'enfouissement d'un relief sous
des dépôts détritiques.

drumlin

Colline ronde ou elliptique constituée
de till et formée sous un glacier actif.
Son grand axe est toujours orienté
parallèlement au sens de l'écoulement
glaciaire.

NOTA Les drumlins sont rarement
isolés. On appelle « champ de
drumlins » le regroupement d'un grand
nombre d'entre eux.

champ de drumlins

drumlinoïde (adj.)

drumlinoïde (n.)

Colline très allongée, en forme de
cigare plus ou moins effilé à ses deux
extrémités, et généralement constituée
de till.

NOTA Les drumlinoïdes et les
drumlins ont plusieurs caractéristiques
en commun. On distingue cependant
les drumlinoïdes par une forme
générale plus allongée. Les
drumlinoïdes présentent un alignement
parallèle à l'écoulement glaciaire.

glacier à base sèche

vêlage à terre

dump moraine
An end moraine consisting of englacial and superglacial material dropped by a glacier at its front.

moraine frontale de délestage
Moraine frontale constituée de matériaux intraglaciaires et supraglaciaires délestés au front du glacier.

earthflow

coulée de terre; coulée terreuse

eddy mill
SEE pothole

embossed rock
SEE roche moutonnée

emergence

émersion

end moraine; frontal moraine (1)
A ridgelike accumulation that is being produced at the margin of an actively flowing glacier at any given time; a moraine that has been deposited at the lower or outer end of a glacier.

moraine frontale (1)
Accumulation de matériaux glaciaires au front du glacier; elle délimite avec précision les positions anciennes d'une marge glaciaire demeurée stationnaire pendant un certain temps.

endorheism (1)
The condition of a region in which little or no surface drainage reaches the ocean.

endoréisme
Fait, pour une région de ne pas avoir d'écoulement des eaux vers une mer ouverte.

endorheism (2)
SEE internal drainage

englacial; intraglacial
Pertaining to the inside of a glacier. Contained within the mass of a valley glacier or continental ice sheet.

intraglaciaire
Se dit de sédiments ou phénomènes observés à l'intérieur d'un glacier.

enhanced basal creep

glissement par plasticité

entrenched meander; intrenched meander; incised meander; inclosed meander

méandre encaissé

entrenchment; intrenchment

epimerization

equilibrium line; equilibrium limit

equilibrium profile; profile of
equilibrium; graded profile

erosion remnant

erosion surface
A land surface shaped and subdued
by the action of erosion, esp. by
running water. The term is generally
applied to a level or nearly level
surface; e.g. a stripped structural
surface.
NOTE A level erosion surface may
be called a "planation surface".

erratic; glacial erratic
A rock fragment that has been
transported a great distance,
generally by glacier ice or floating
ice, and differs from the bedrock on
which it rests.
NOTE Erratics range in sizes from
pebbles to large rock fragments. The
larger fragments are called "erratic
blocks".

erratic block; erratic boulder

esker
A long, narrow, sinuous ridge of
stratified glacial drift deposited by a
stream flowing beneath a stagnant or
retreating glacier in an ice tunnel or
subglacial stream bed, and left
behind after the disappearance of the
glacier.

esker delta

eustasy; eustatism

eustatic level

encaissement

épimérisation

ligne d'équilibre; ligne d'équilibre
glaciaire

profil d'équilibre

lambeau d'érosion

surface d'érosion
Étendue terrestre soumise à l'action
des agents d'érosion.
NOTA Une surface d'érosion régulière
est parfois nommée « surface
d'aplanissement ».

erratique (n.m.)
Fragment rocheux transporté sur une
grande distance par un glacier; il
diffère du substratum sur lequel il
repose.
NOTA Les erratiques peuvent mesurer
de quelques centimètres à plusieurs
mètres de diamètre. Les fragments
rocheux de plus grande dimension sont
appelés « blocs erratiques ».

bloc erratique

esker
Crête allongée, étroite, et sinueuse,
formée de sédiments glaciaires
stratifiés déposés dans des chenaux ou
tunnels sous-glaciaires par un cours
d'eau s'écoulant sous un glacier
stagnant ou en retrait; cette crête est
visible à la suite de la disparition du
glacier.

delta d'esker

eustasie; eustatisme

niveau eustatique

eustatism; eustasy

eustatisme; eustasie

evorsion hollow
SEE **pothole**

exorheism (1)
The condition of a region in which its water reaches the ocean directly or indirectly.

exoréisme
Fait pour une région, d'avoir un écoulement des eaux vers une mer ouverte.

exorheism (2)
SEE **external drainage**

extending flow
A glacial flow pattern in which velocity increases as the distance downstream becomes greater.

écoulement en extension
Type d'écoulement des glaciers caractérisé par une augmentation de la vitesse en fonction de la distance vers l'aval.

external drainage; exorheism (2)
Drainage whereby the water reaches the ocean directly or indirectly.

drainage exoréique; écoulement exoréique
Type de drainage caractérisé par un écoulement direct ou indirect des eaux vers l'océan.

extramorainal; extramorainic
Said of deposits and phenomena occurring outside the area occupied by a glacier and its lateral and end moraines.

extramorainique
Se dit de sédiments ou phénomènes observés à l'extérieur des zones limitées par les moraines frontales et latérales d'un glacier.

F

faceted boulder; facetted boulder

bloc à facettes

faceted pebble; facetted pebble

caillou à facettes

false drumlin
SEE **rock drumlin**

fast ice

banquise

fell
SEE **fjeld**

felsenmeer

fen
A peatland with the water table
usually at or just above the surface.
The waters are mainly nutrient-rich
and minerotrophic from mineral
soils. The dominant materials are
moderately to well decomposed
sedge and/or brown moss peat of
variable thickness.

fibrous ice

fill-in fill terrace
A terrace left by a stream that,
having incised its valley fill, partly
fills up the new valley and incises
anew.

finite age

fiord
SEE fjord

firn field; firn basin; névé
The accumulation area or upper
region of a glacier where snow
accumulates and firn is secreted.

firn line; firn limit
The line that divides the ablation
area of a glacier from the
accumulation area.

**fission-track dating; spontaneous
fission-track dating**

A method of calculating an age in
years by determining the ratio of the
spontaneous fission-track density to
induced fission tracks.

fjeld; fjell
NOTE "Fell" is sometimes used as a
synonym.

felsenmeer

tourbière minérotrophe
Tourbière dont la nappe phréatique se
situe habituellement au niveau ou juste
au-dessus de la surface. Règle
générale, les eaux sont minérotrophes
et enrichies d'éléments nutritifs
provenant de sols minéraux. Les
constituants majeurs sont des laîches
modérément décomposées ou bien
décomposées ou de la tourbe de
mousse brune d'épaisseur variable.

glace fibreuse

terrasse de remblaiement emboîtée
Terrasse formée lorsqu'un cours d'eau
entaille un remblaiement de vallée,
puis le remplit partiellement de
nouvelles alluvions qu'il entaille à
leur tour.

âge significatif

névé
Partie amont d'un glacier, ou zone
d'accumulation, où la neige (évoluant
par tassement et fusion partielle) se
transforme en glace.

ligne de névé
Ligne séparant la zone d'ablation et la
zone d'accumulation d'un glacier.

**méthode de datation par traces de
fission; datation par traces de
fission**
Méthode de datation basée sur le
calcul du rapport de la densité des
traces de fission spontanée à la densité
des traces de fission induite.

fjell; fjeld

28

fjord
NOTE "Fiord" is an anglicized
variant of "fjord".

fjord

flanking moraine
SEE lateral moraine

floating ice

glace flottante

floe till
SEE berg till

flood plain; floodplain

**plaine d'inondation; plaine
inondable**

flood-plain deposit

dépôt de plaine d'inondation

flood-plain meander scar

A crescentic mark indicating the
former position of a river meander
on a flood plain.

**échancrure de méandre de plaine
d'inondation**

Marque en croissant représentant
l'ancienne position d'un méandre de
rivière dans une plaine d'inondation.

flood-plain scroll; flood scroll

croissant de lit majeur

flow slide; liquefaction slide

glissement par liquéfaction

flowtill

A till released as a fluid mass from
the englacial-debris load when this is
exposed by downwasting of the
glacier surface.

till d'écoulement; till flué

Till qui se forme lorsque les débris
intraglaciaires sont mis à jour par la
fonte de la surface du glacier, puis
libérés sous forme de masse fluide.

fluted moraine

A moraine formed parallel to
ice-flow direction characterized by
closely spaced, parallel grooves with
intervening ridges mainly developed
in till.

moraine cannelée

Moraine parallèle à l'écoulement
glaciaire, formée d'un alignement
serré de cannelures peu profondes et
de crêtes surbaissées, généralement
entaillées dans le till. La moraine
cannelée donne à la surface du terrain
l'allure d'une feuille de tôle ondulée.
Les formes allongées peuvent atteindre
des kilomètres de longueur.

fluted till

till cannelé

fluvial erosion

érosion fluviale

fluvioglacial
SEE glaciofluvial

fluvioglacial deposit
SEE **glaciofluvial drift**

fluvioglacial drift
SEE **glaciofluvial drift**

föhrde; forde **förde**

foliation **foliation**
A layered structure in glacier ice generated by flow deformation and recrystallization. Dans un glacier, stratification de la glace due à la déformation qui résulte de l'écoulement et de la recristallisation.

footslope **pied du versant**

forde; föhrde **förde**

forebulge
SEE **bulge**

forebulge collapse
SEE **bulge collapse**

foreset bed; foreset **lit frontal**

fosse **dépression marginale**

fossil-bearing; fossiliferous **fossilifère**

fossil ice **glace fossile**

fossil ice wedge; ice-wedge pseudomorph; ice-wedge cast; ice-wedge fill **fente de glace fossile**
A sedimentary structure formed by the filling of the space formerly occupied by an ice wedge that had melted; the sediment fill may be wedge-shaped or very irregular. Forme en biseau dont l'espace anciennement occupé par une fente de glace s'est rempli de sédiments.

fossiliferous; fossil-bearing **fossilifère**

fossil soil **sol fossile**
Paleosol covered by younger deposits. Désigne un paléosol enterré sous des dépôts plus récents, généralement épais; cette fossilisation empêche habituellement toute évolution ultérieure.
NOTE The term "fossil soil" is sometimes used, without distinction, as a synonym of "paleosol".

frontal moraine (1)
SEE end moraine

frontal moraine (2)

moraine frontale (2); vallum
morainique

frontal plain
SEE outwash plain

frontal terrace; outwash terrace

terrasse frontale; terrasse
d'épandage fluvioglaciaire

**Gauss Normal Polarity Chron;
Gauss Normal Polarity Epoch**
A polarity-chronologic division of
the Pliocene Era, from 3.3 to 2.5 Ma.

**Chrone polaire normal de Gauss;
époque normale de Gauss**
Division polaro-géochronologique du
Pliocène (période tertiaire) de 3,3 à
2,5 Ma.

gelifluction; congelifluction
The slow downslope flow of
unfrozen earth materials on a frozen
substrate.

gélifluxion; congélifluxion
Lente descente de matériaux non gelés
sur un substrat gelé le long d'une
pente.

geliturbation
SEE cryoturbation

geochronometer
A physical feature, material, or
element whose formation, alteration,
or destruction can be calibrated or
related to a known interval of time.

géochronomètre
Matériau géologique, élément
chimique ou propriété
physico-chimique d'une roche, dont
l'évolution ou les variations sont
fonction du temps ou d'un intervalle
de temps spécifique.

**geodetic sea level; MSL; mean sea
level**

**niveau géodésique de référence;
niveau moyen de la mer**

geologic climate; paleoclimate

paléoclimat

**geomagnetic polarity event;
polarity event; polarity subchron**

**sous-chrone polaire; événement
polaire**

geosol

géosol

giant's kettle; moulin pothole; glacial pothole; giant's cauldron
A cylindrical hole bored in bedrock beneath a glacier by water falling through a deep moulin or by boulders rotating in the bed of a meltwater stream.

marmite de géant (1)
Trou cylindrique creusé dans la roche en place sous un glacier, par la chute de l'eau dans un moulin ou par la rotation des pierres dans un chenal d'eau de fonte.

glacial action
All processes due to the agency of glacier ice, such as erosion, transportation, and deposition. The term sometimes includes the action of meltwater streams derived from the ice.

action glaciaire
Tout processus dû à l'effet des glaciers, à savoir l'érosion, le transport, la sédimentation; ce terme se rapporte aussi à l'action des eaux de fonte.

glacial advance (1)
A time interval marked by an advance or general expansion of a glacier, e.g. The Cochrane Advance

avancée glaciaire (1)
Période marquée par une avancée glaciaire ou par une expansion générale des glaciers, p. ex. l'avancée de Cochrane.

glacial advance (2); **glacier advance**
Increase in the thickness and area of a glacier.

avancée glaciaire (2)
Augmentation de l'épaisseur et de la surface d'un glacier.

glacial basin; glacial rock basin

ombilic glaciaire; bassin de surcreusement; bassin de vallée glaciaire

glacial boulder
A boulder or large rock fragment that has been moved for a considerable distance by a glacier, being somewhat modified by abrasion but not always rounded.

bloc glaciaire
Bloc ou fragment rocheux de grande taille transporté sur une distance considérable par un glacier; il peut présenter des marques d'abrasion mais n'est pas toujours arrondi.

glacial budget

bilan glaciologique

glacial canyon
A canyon eroded by a glacier, usually occupying the site of an older stream valley and having a U-shaped cross profile.

canyon glaciaire
Canyon érodé par un glacier; il est généralement situé à l'emplacement d'une vallée fluviatile plus ancienne et, en coupe transversale, se présente sous forme de U.

glacial confluence
A flowing-together of two or more glaciers.

confluence glaciaire
Réunion de deux ou de plusieurs glaciers.

glacial cycle

cycle glaciaire

glacial debris
Material being transported by a glacier in contact with glacier ice. In most cases it is disaggregated, except for clasts of various sizes, including large rafts.

débris glaciaires
L'ensemble des matériaux transportés par un glacier. Dans la plupart des cas, il s'agit de matériaux désagrégés, à l'exception des clastes de toute taille, y compris les débris glaciels de grande taille.

glacial deposit; glacial drift
All rock material in transport by glacier ice, all deposits made by glacier ice, and all deposits predominantly of glacial origin made in the sea or in bodies of glacial meltwater whether rafted in icebergs or transported in the water itself. It includes till, stratified drift, and scattered clasts that lack an enclosing matrix.

dépôt glaciaire; sédiments glaciaires (2)
Tous les matériaux rocheux transportés par la glace de glacier, tous les matériaux déposés par la glace de glacier, et tous les dépôts principalement d'origine glaciaire, accumulés dans la mer ou dans des étendues d'eaux de fonte, qu'ils aient été transportés par des icebergs ou par l'eau elle-même. Ceci comprend le till, les sédiments glaciaires stratifiés, et les clastes dispersés qui ne sont pas inclus dans une matrice.

glacial diffluence
The local overriding of a pre-glacial subsidiary watershed by glacier ice so that it flows through a col into a neighbouring valley.

diffluence glaciaire
Submergence régionale d'un bassin hydrographique secondaire préglaciaire par un glacier, de telle façon que la glace s'écoule par un col dans une vallée voisine.

glacial dispersal
The fan-shaped deployment of erratics by glacier ice.

dispersion glaciaire
Étalement en forme de cône ou d'éventail des erratiques déposés par un glacier.

glacial drift
SEE glacial deposit

glacial epoch
Any part of geologic time, from Precambrian onward, in which the climate was notably cold in both the northern and southern hemispheres, and widespread glaciers moved toward the equator and covered a much larger total area than those of the present day.

époque glaciaire
Tout intervalle de temps géologique marqué par un climat froid dans les hémisphères nord et sud et pendant lequel les glaciers ont progressé vers l'Équateur, recouvrant un territoire plus vaste que celui recouvert par les glaciers actuels.

glacial erosion

The destruction of the surface by the passage of a glacier or an ice-sheet.

érosion glaciaire

Érosion provoquée par le passage d'un glacier ou d'une nappe glaciaire.

glacial erratic
SEE erratic

glacial event

événement glaciaire

glacial flour

NOTE "Rock flour" is a general term commonly used as a synonym of "glacial flour".

farine glaciaire

glacial fluting

A scratch larger than a striation, produced in the same way as striations by the rubbing of rock fragments carried along at the bottom of a moving glacier. Flutings are generally parallel to each other and indicate the direction of ice flow. If the rubbing increases or continues at the bottom of the glacier, the abrasive effect of the rock fragments enlarges the flutings to grooves.

rainure glaciaire

Égratignure de plus grande taille que la strie, et qui, comme elle, est produite par le frottement de fragments de roche transportés à la base d'un glacier en mouvement. Les rainures sont généralement parallèles entre elles et indiquent le sens de l'écoulement glaciaire. Si le frottement augmente ou se poursuit à la base du glacier, le pouvoir abrasif des fragments de roche développe les rainures en cannelures.

glacial front; glacial snout; terminus; ice front

The protruding lower extremity or leading edge of a glacier.

front glaciaire; front de glacier

Extrémité aval de la langue d'un glacier.

glacial groove

An elongate depression in the bedrock, resulting from continued glacial erosion along a fluting.

cannelure glaciaire

Dépression allongée dans la roche en place, résultant de la poursuite des processus d'érosion glaciaire à l'emplacement d'une rainure.

glacial interval

An informal term for a subdivision of an interstade.

intervalle glaciaire

Subdivision informelle d'un interstadiaire.

glacial lake

A lake fed predominantly by glacial meltwater, or a lake in a depression closed in part by glacial ice.

lac glaciaire

Lac alimenté principalement par les eaux de fonte d'un glacier, ou occupant une dépression obstruée en partie par un glacier.

glacial loading

charge glaciaire

glacial lobe
A tonguelike projection from a continental glacier's main mass.

lobe glaciaire
Partie d'un glacier continental formant une langue glaciaire.

glacial margin; ice margin

marge glaciaire

glacial-marine
SEE glaciomarine

glacial maximum (1)
The time period marked by the greatest advance of glaciers.

pléniglaciaire
Période marquée par l'avancée maximale des glaciers.

glacial maximum (2)
The position of the greatest advance of glaciers.

maximum glaciaire
Position marquant l'avancée maximale des glaciers.

glacial mill
SEE moulin

glacial minimum (1)
The time period marked by the greatest retreat of glaciers.

minimum glaciaire (1)
Période marquée par le retrait maximal des glaciers.

glacial minimum (2)
The position of the greatest retreat of glaciers.

minimum glaciaire (2); **limite maximale de retrait**
Position marquant le retrait maximal des glaciers.

glacial mud; glacial silt

boue glaciaire

glacial outwash
SEE outwash

glacial period
A geologic period, such as the Quaternary Period, that embraced an interval of time marked by one or more major advances of ice.

période glaciaire
Période géologique qui couvre l'intervalle de temps correspondant à la formation et à l'avancée de systèmes glaciaires importants.

glacial phase
An informal subdivision of a glacial stage.

phase glaciaire
Subdivision informelle d'un étage glaciaire.

glacial polish
A smoothed surface produced on bedrock by glacial abrasion.

poli glaciaire
Dans la roche en place, surface lisse et luisante résultant du détachement, par abrasion, d'une infinité de minuscules éclats de roche.

glacial pothole
SEE giant's kettle

glacial pressure ridge
SEE ice-pressed ridge

glacial retreat; glacial recession;
backwasting
A condition occurring when
backward melting at the front of
a glacier takes place at a rate
exceeding forward motion.

retrait glaciaire
Le fait, pour un glacier, de se retirer
lorsque la fonte est plus rapide que la
progression des glaces.
NOTA On dit aussi « recul glaciaire ».

glacial rock basin; glacial basin

ombilic glaciaire; bassin de
surcreusement; bassin de
vallée glaciaire

glacial scour; scouring

affouillement glaciaire

glacial self-regulation

autocatalyse glaciaire

glacial silt; glacial mud

boue glaciaire

glacial snout
SEE glacial front

glacial spillway; overflow channel

déversoir de lac glaciaire; exutoire
de lac glaciaire

glacial stage
A major subdivision of a glacial
event, esp. one of the cycles of
growth and disappearance of the
Pleistocene ice sheets; e.g.
"Wisconsinan Glacial Stage".
NOTE The Quaternary is subdivided
on the basis of climatic change, a
fact that gives rise to certain
problems. For example, "glacials"
and "interglacials" are recognized,
and are accorded the status of
"stages" by many workers, although
they fail to meet the requirements of
a stage as recommended in
stratigraphic codes and guides. As a
result, terms of long-standing
currency such as "Illinoian Glacial
Stage" and "Sangamonian
Interglacial Stage" do not have an
adequate chronostratigraphic
definition.

étage glaciaire
Principale subdivision d'un événement
glaciaire (par exemple, les
subdivisions du Pléistocène),
caractérisée par la présence de nappes
glaciaires.

36

glacial stillstand

glacial striations; glacial striae
Long, delicate, finely cut, usually
straight and parallel furrows or lines
inscribed on a bedrock surface by the
rasping and rubbing of rock
fragments embedded at the base of a
moving glacier, and usually oriented
in the direction of ice movement;
also formed on the rock fragments
transported by the ice.

glacial transfluence
The overriding of a major regional
pre-glacial watershed by ice sheets
or glaciers on such a scale that ice
overwhelms a mountain range with
little regard for the pre-existing
terrain.

glacial trough

glacial unloading

glacial valley

glaciation (1)
The formation, movement, and
recession of glaciers or ice sheets.

glaciation (2); **glacierization**
The covering of large land areas by
glaciers or ice sheets.

glaciation limit
The lowest altitude in a given
locality at which glaciers can
develop, usually determined as below
the minimum summit altitude of
mountains on which glaciers occur
but above the maximum summit
altitude of mountains having
topography favorable for glaciers but
on which none occur.

halte glaciaire

stries glaciaires
Fines égratignures dans la roche en
place, généralement rectilignes et
parallèles entre elles, et produites par
le frottement de fragments de roche
transportés à la base d'un glacier en
mouvement. Elles indiquent
ordinairement le sens de l'écoulement
glaciaire. Les stries glaciaires sont
plus fines que les rainures glaciaires.

transfluence glaciaire
Passage de nappes glaciaires ou
de glaciers au-dessus d'un vaste
bassin-versant régional préglaciaire, à
une échelle si grande que la glace peut
submerger une chaîne de montagnes,
quelle que soit la topographie
préexistante.

auge glaciaire

décharge glaciaire

vallée glaciaire

glaciation
Formation, déplacement et retrait des
glaciers ou des nappes glaciaires.

englaciation
Invasion progressive d'une grande
région par un glacier ou une nappe
glaciaire.

seuil de glaciation
Dans une localité donnée, altitude la
plus basse à laquelle peut se former
un glacier. Cette altitude est
habituellement déterminée comme
étant inférieure à l'altitude minimum
des sommets de montagnes sur
lesquelles existent des glaciers, mais
comme supérieure à l'altitude
maximum des sommets de montagnes
dont la topographie est favorable à la
formation de glaciers, mais où aucun
glacier n'est présent.

glacier advance
SEE **glacial advance** (2)

glacier bed   lit de glacier

glacier cap
SEE **ice cap**

glacier cone
SEE **debris cone**

glacier-covered; ice-covered   englacé

glacier flow; ice flow   écoulement glaciaire

glacierization
SEE **glaciation** (2)

glacier lake; ice-dammed lake;   lac de barrage glaciaire
ice-barrier lake
A lake held in place by the damming   Lac dont l'écoulement naturel est
of natural drainage by the edge or   arrêté par la présence d'un glacier ou
front of a glacier or ice sheet, as a   d'une nappe glaciaire, p. ex. lac dont
lake ponded by glacier ice advancing   les eaux sont retenues par un glacier
across a valley or a lake occurring   traversant une vallée, ou lac se
along the margin of a continental ice   formant à la marge d'un inlandsis.
sheet.

glacier mill
SEE **moulin**

glacier pothole
SEE **moulin**

glacier surge   crue glaciaire
The period of very rapid flow   Avancée rapide d'un glacier.
of a surging glacier; also, the
displacement or advance of ice
resulting from the very rapid flow.

glacier tongue   langue glaciaire

glacier well
SEE **moulin**

glacigenic deposit
SEE **glaciogenic deposit**

glacioaqueous; aqueoglacial   glacio-aquatique; glaciaquatique

glacio-eustasy; glacio-eustatism

The worldwide changes in sea level produced by the successive withdrawal and return of water in the oceans accompanying the formation and melting of ice sheets.

glaciofluvial; fluvioglacial

Pertaining to the meltwater streams flowing from wasting glacier ice and esp. to the deposits and landforms produced by such streams, as kame terraces and outwash plains; relating to the combined action of glaciers and streams.

glaciofluvial drift; fluvioglacial drift; glaciofluvial deposit; fluvioglacial deposit

A general term for drift transported and deposited by running water emanating from a glacier.

glaciogenic deposit; glacigenic deposit

NOTE Glaciogenic: of glacial origin

glacio-isostasy

Crustal adjustment to loading and unloading that is attributed to addition and removal of glacier ice.

glacio-isostatic rebound

glaciolacustrine

Pertaining to or characterized by glacial and lacustrine conditions. Said of deposits made in lakes affected by glacier ice or by meltwaters flowing directly from glaciers.

glacio-eustasie; glacio-eustatisme

Changements du niveau de la mer à l'échelle mondiale provoqués par la diminution ou l'augmentation du volume d'eau dans les océans; ces phénomènes sont reliés à la formation ou à la fonte de nappes glaciaires.

fluvioglaciaire (adj.)

Relatif aux cours d'eau produits par la fonte d'un glacier; se dit surtout des dépôts et des formes produits par ces cours d'eau, p. ex. les terrasses de kame, les plaines d'épandage.

NOTA Ce terme s'emploie aussi pour désigner l'action combinée des glaciers et des cours d'eau.

dépôt fluvioglaciaire; sédiments fluvioglaciaires; fluvioglaciaire (n.m.)

Sédiments glaciaires transportés et mis en place par les eaux de fonte d'un glacier.

dépôt glaciogénique; glaciogène

glacio-isostasie

Ajustement de la croûte produit par les variations de la charge dues à l'accroissement ou à la diminution de volume des inlandsis.

relèvement glacio-isostatique

glaciolacustre

Relatif aux conditions glaciaires et lacustres; se dit aussi des sédiments déposés dans des lacs soumis à l'action des glaciers ou des eaux de fonte.

glaciomarine; glacial-marine
Relating to processes or deposits that involve the action of glaciers and the sea or the action of glaciers in the sea.

glaciomarin
Se dit des processus ou des dépôts qui se rapportent à l'action des glaciers et des mers.

glacionatant till
SEE **berg till**

glaciotectonic
SEE **cryotectonic**

glaciotectonic thrust slice;
cryotectonic thrust slice

écaille glaciotectonique

goletz terrace

replat goletz

gouge mark; gouge; lunoid furrow;
crescentic gouge

coup de gouge

graded profile; equilibrium profile;
profile of equilibrium

profil d'équilibre

gravity flow
Movement of glacier ice as the result of the inclination of the slope on which the glacier rests.

écoulement gravitaire
Déplacement du glacier causé par l'inclinaison du terrain sur lequel il repose.
NOTA On dit aussi « écoulement par gravité ».

Great Ice Age
SEE **Pleistocene**

grounded ice; stranded ice
Floating ice that is aground in shallow waters.

glace ancrée
Glace flottante reposant sur le fond.

ground ice
A general term referring to all types of ice formed in freezing and frozen ground.

glace de sol
Générique désignant tous les types de glace qui se trouvent dans le gélisol en formation ou déjà formé.

ground-ice wedge
SEE **ice wedge**

grounding line moraine

moraine de limite d'ancrage

ground moraine; bottom moraine
A moraine formed by an accumulation of till deposited at the base of an actively flowing glacier and generally covered by a veneer of debris released from the ice during ablation. It may form an extensive area of low relief devoid of transverse linear elements.

moraine de fond
Moraine composée d'une couche épaisse de till déposée lorsque les matériaux transportés à la base du glacier ont été abandonnés au contact du lit rocheux lors de la fonte du glacier.

NOTA La moraine de fond présente une surface ondulée et de bas relief, elle a tendance à dissimuler la topographie sous-jacente. Lorsqu'elle couvre de vastes territoires en créant des reliefs de faible amplitude, on parle de « plaine de till ».

guide fossil
Any fossil type that is sufficiently widespread and abundant in a more or less restricted thickness of sediments to have value for an indication of geological horizon and relative age, or of the conditions under which it lived.

fossile repère; fossile marqueur
Tout type de fossile suffisamment répandu et abondant, dans des sédiments d'épaisseur plus ou moins restreinte, pour permettre de délimiter un horizon géologique et de déterminer un âge relatif ou les conditions dans lesquelles vivait l'organisme maintenant fossilisé.

gully

ravin

gullying; gully erosion; ravinement

ravinement

Günz
SEE **Nebraskan**

Günz-Mindel
SEE **Aftonian**

H

hanging glacier

glacier suspendu

hanging valley; hanging trough; perched glacial valley

vallée suspendue

headwall; backwall
The steep cliff at the back of a cirque.

mur de rimaye
Paroi abrupte au fond d'un cirque.

hemicone
SEE **alluvial cone**

hogback
SEE **horseback**

Holocene; Recent
The second epoch of the Quaternary Period, from the end of the Pleistocene (10 ka) to the present time.
NOTE The name "Holocene" was officially adopted by the United States Geological Survey in 1967.

Holocène
Seconde époque du Quaternaire qui débute avec la fin du Pléistocène. L'Holocène couvre les 10 derniers millénaires.
NOTA « Le Récent » a parfois été utilisé pour désigner cette époque. Le terme « Holocène » a cependant la préférence de l'INQUA et a été officiellement adopté par le United States Geological Survey en 1967.

homotaxia; homotaxy

homotaxie

horn; cirque mountain; pyramidal peak

aiguille glaciaire; aiguille pyramidale

horseback; hogback; boar's back
A low, sharp ridge of sand, gravel, or rock.

dos d'âne
Crête basse et pointue, formée de sable, de gravier ou de roche.

hummocky moraine
A moraine characterized by knob-and-kettle topography. The mounds usually occur in large numbers, with individual mounds either almost alike in size and shape or displaying substantial variation in size and shape.

moraine bosselée
Moraine au relief en bosses et creux. Les buttes sont généralement en grand nombre et peuvent être très semblables ou très différentes.

hydrographic basin; drainage basin; catchment area

bassin versant; bassin de drainage; bassin hydrographique

ice activity

activité de la glace

ice apron
The thin mass of snow and ice attached to the headwall of a cirque above the bergschrund.

plancher de glace; placage de glace
Mince couche de glace ou de neige fixée à la paroi abrupte d'un cirque au-dessus du rimaye.

ice avalanche

avalanche de glace

ice barrier; ice dam

barrage glaciaire; barrage de glace

ice-barrier lake
SEE glacier lake

iceberg

iceberg

ice-block ridge
SEE disintegration ridge

ice cap; glacier cap
A dome-shaped or platelike cover of perennial ice and snow, covering the summit area of a mountain mass so that no peaks emerge through it, or covering a flat landmass such as an Arctic island; spreading due to its own weight outwards in all directions; and having an area of less than 50,000 sq km. An ice cap is considerably smaller than an ice sheet.

calotte glaciaire
Couverture de glace et de neige pérennes, ayant la forme d'un dôme ou une forme tabulaire, couvrant complètement la région sommitale d'une masse montagneuse, ou couvrant une masse continentale plane comme l'Archipel arctique; elle s'étale sous l'effet de son poids, dans toutes les directions; sa superficie est inférieure à 50 000 km^2. Une calotte glaciaire est beaucoup plus petite qu'un inlandsis.

ice cone; ice pyramid

cône de glace; pyramide de glace

ice-contact delta; kame delta

delta-kame; delta de kame; delta juxtaglaciaire

ice-contact deposit

sédiment de contact glaciaire; dépôt de contact glaciaire; sédiment juxtaglaciaire

ice-contact terrace; ice marginal terrace; kame terrace

terrasse de kame; terrasse juxtaglaciaire

ice-covered; glacier-covered

englacé

ice dam; ice barrier

barrage glaciaire; barrage de glace

ice-dammed lake
SEE glacier lake

ice disintegration

décrépitude glaciaire; désagrégation glaciaire

ice-dispersion centre	**centre de dispersion glaciaire**
ice divide	**ligne de partage glaciaire**
ice dome A rounded, gently sloping elevation in the surface of an inland ice sheet. Ice domes do not have precisely defined margins and may cover large areas - 100,000 sq km or more.	**dôme de glace; dôme glaciaire** Bombement sphérique à la surface d'une nappe glaciaire. Les dômes de glace n'ont pas de marge nettement définie et peuvent couvrir de vastes étendues - 100 000 km² ou davantage.
ice fall	**chute de glace**
icefield; ice field	**champ de glace**
ice flow; glacier flow	**écoulement glaciaire**
ice-flow direction	**direction de l'écoulement glaciaire**
ice-flow indicator	**marque d'écoulement glaciaire; indice d'écoulement glaciaire**
icefoot An accumulation of attached ice at the foot of a marine or lake cliff, formed by the freezing of water or the recrystallization of snow.	**pied de glace** Accumulation de glace fixée au pied d'une falaise marine ou lacustre, et résultant du gel de l'eau ou de la diagénèse de la neige.
ice-free	**libre de glace; non englacé**
ice-free corridor	**corridor libre de glace**
ice front SEE glacial front	
ice-front deposit	**dépôt frontal**
ice lens A dominantly horizontal, lens-shaped body of ice of any dimension.	**lentille de glace** Glace formant une lentille surtout horizontale et de dimensions variables.
ice margin; glacial margin	**marge glaciaire**
ice-marginal lake; proglacial lake	**lac proglaciaire; lac de front glaciaire**
ice marginal terrace; kame terrace; ice-contact terrace	**terrasse de kame; terrasse juxtaglaciaire**
ice pedestal; ice pillar	**pilier de glace**

ice-pressed ridge; glacial pressure ridge

A disintegration ridge formed by the squeezing of till from beneath blocks of melting glacier ice due to the weight of the blocks.

crête de pression glaciaire

Crête de désagrégation formée par la remontée du till comprimé par les blocs de glace d'un glacier en fonte.

ice push; ice shove

poussée glaciaire

ice-pushed ridge

A generally asymmetric ridge formed in front of an advancing glacier by the pushing action of the glacier. It is composed of material (outwash, till, bedrock, etc.) that was lying in front of the glacier.

crête de poussée glaciaire; bourrelet de poussée glaciaire

Crête généralement asymmétrique composée de matériaux qui reposaient au front du glacier (dépôt d'épandage, till, substratum rocheux) et qui ont été poussés par le glacier en progression.

ice-push moraine; shoved moraine; push-ridge moraine; upsetted moraine; push moraine

A broad, smooth, arc-shaped morainal ridge consisting of material mechanically pushed or shoved along by an advancing glacier.

moraine de poussée

Moraine en forme d'arc, composée de matériaux déposés ultérieurement en bordure d'un glacier, mais repris et poussés lors de la réavancée du glacier.

ice-push ridge; ice-thrust ridge (1); lake rampart

bourrelet lacustre

ice pyramid; ice cone

pyramide de glace; cône de glace

ice-rafting

transport glaciel

ice-receiving area

The portion of a surging glacier, generally near the terminus, that is periodically refilled by glacier surges.

zone de réalimentation (prop.)

Section d'un glacier en crue, généralement près de l'extrémité, réalimentée périodiquement par les crues glaciaires.

ice-reservoir area

That portion of a glacier that is periodically drained by glacier surges. This reservoir, which is refilled by direct snow accumulation or by normal ice flow between surges, may be located in nearly any part of the glacier system.

réservoir glaciaire (prop.)

Portion d'un glacier dont toute la glace s'écoule lors de crues glaciaires; ce réservoir est ensuite réalimenté par accumulation directe de neige ou par écoulement normal de glace entre deux crues, et il peut être situé presque n'importe où sur le glacier.

ice sheet
A thick glacier, more than 50,000 square kilometers in area, forming a cover of ice and snow that is continuous over a land surface and moving outward in all directions.

ice shove; ice push

ice-slump ridge
A disintegration ridge formed by the slumping of debris from the ice surface into fracture systems or crevasses.

ice stream
A part of an inland ice sheet in which the ice flows more rapidly and not necessarily in the same direction as the surrounding stagnant glacier ice.

ice thrust

ice-thrust moraine; thrust moraine

ice-thrust ridge (1); **lake rampart; ice-push ridge**

ice-thrust ridge (2)
An asymmetric ridge of local, essentially nonglacial material or formerly deposited glacial material (such as deformed bedrock with some older and newly formed drift incorporated in it) that has been pressed up by the shearing action of a moving glacier.

ice-thrust structure

nappe glaciaire
Glacier de forte épaisseur, de plus de 50 000 kilomètres carrés, formant une couverture continue et s'étendant dans toutes les directions.

poussée glaciaire

crête de sédiments glissés
Crête de désagrégation formée par la chute de débris supraglaciaires dans un réseau de fractures ou dans des crevasses.

courant glaciaire
Partie d'une nappe glaciaire où la glace s'écoule plus rapidement, mais pas nécessairement dans la même direction que la glace environnante.

chevauchement glaciaire

moraine de chevauchement

bourrelet lacustre

crête de chevauchement
Crête dissymétrique constituée essentiellement de matériaux non glaciaires autochtones (p. ex. substratum déformé contenant une fraction de sédiments glaciaires) qui ont été poussés vers le haut à la suite du cisaillement produit par le glacier en mouvement.

structure de chevauchement glaciaire

ice wedge; ground-ice wedge
Wedge-shaped, foliated ground ice produced in permafrost, occurring as a vertical or inclined sheet, dike, or vein tapering downward, and measuring from a few millimeters to as much as 6 m wide and from 1 m to as much as 30 m high. It originates by the growth of hoar frost or by the freezing of water in a narrow crack or fissure produced by thermal contraction of the permafrost.

fente de glace
Amas de glace, généralement en forme de coin dont l'apex pointe vers le bas; la glace est feuilletée ou litée dans le sens vertical et elle est généralement blanche.

ice-wedge cast
SEE **fossil ice wedge**

ice-wedge fill
SEE **fossil ice wedge**

ice-wedge pseudomorph
SEE **fossil ice wedge**

Illinoian (n.); **Illinoian Glacial Stage**
The classical third glacial stage of the Pleistocene Epoch in North America, between the Yarmouthian and Sangamonian Interglacial Stages.
NOTE In the Alps, the third glacial stage is called Riss.
   "Illinoisan" is an alternative spelling rarely used.

Illinoien (n.)
En Amérique du Nord, troisième étage glaciaire du Pléistocène, succédant à l'Interglaciaire yarmouthien et précédant le Sangamonien.
NOTA Dans les Alpes, l'équivalent de l'Illinoien est le Riss.

Illinoian (adj.)

illinoien (adj.)

Illinoian Glacial Stage
SEE **Illinoian** (n.)

Illinoian Glaciation

Glaciation illinoienne

Illinoisan
SEE **Illinoian** (n.)

incised meander; inclosed meander; entrenched meander; intrenched meander

méandre encaissé

index fossil; key fossil

A fossil that identifies and dates the strata or succession of strata in which it is found; esp. any fossil taxon (generally a genus, rarely a species) that combines morphologic distinctiveness with relatively common occurrence or great abundance and that is characterized by a broad, even worldwide, geographic range, and by a narrow or restricted stratigraphic range that may be demonstrated to approach isochroneity. The fossil need not necessarily be either confined to, or found throughout every part of, the strata for which it serves as an index.

NOTE The term "type fossil" is occasionally used as a synonym of "index fossil", but is usually used to refer to a representative specimen of the species.

fossile stratigraphique

Espèce ayant une grande extension géographique et une courte existence à l'échelle géologique, ce qui permet de l'utiliser pour comparer l'âge de terrains situés dans des régions différentes, p. ex. les conodontes et les ammonites.

indicator stone

A glacial erratic whose source and direction of transportation are known because of its identity with bedrock in a certain small or restricted area.

roche indicatrice; bloc indicateur

Erratique dont la source et la direction d'écoulement sont connues grâce à ses caractéristiques lithologiques qui l'associent à une zone ou région spécifique.

infinite age

âge non significatif

influx; inflow

apport

infraglacial
SEE subglacial

ingrown meander

méandre sculpté

inherited meander

méandre imprimé; méandre hérité

initial shoreline

A shoreline brought about by regional tectonic activity (subsidence, uplift, faulting, folding), by volcanic accumulation, or by glacial action.

ligne de rivage initiale

Ligne de rivage qui se forme sous l'effet d'une activité tectonique régionale (subsidence, soulèvement, plissement) d'une accumulation volcanique, ou d'une action glaciaire.

inland drainage
SEE internal drainage

inner moraine
In an Alpine moraine complex, the moraine located the shortest distance from the glacier source.

INQUA; International Union for Quaternary Research

inset terrace

interbedded; interstratified

interfluve

interglacial (adj.)

interglacial stage; interglacial (n.)

A subdivision of a glacial event separating two glacial stages, characterized by a relatively long period of warm or mild climate during which the temperature rose to at least that of the present day.

interlobate

interlobate moraine
A moraine formed between two glacial lobes.

intermontane
NOTE "Intermont" and "intermountain" are sometimes used as synonyms.

intermorainal; intermorainic
Situated between moraines, as an intermorainal lake occupying a narrow depression between parallel moraines of a retreating glacier.

intermountain
SEE **intermontane**

moraine interne
Dans un complexe morainique, particulièrement dans les Alpes, moraine située à la plus courte distance de l'origine du glacier.

INQUA; Union internationale pour l'étude du Quaternaire

terrasse emboîtée

interstratifié

interfluve

interglaciaire (adj.)

étage interglaciaire; interglaciaire (n.)
Subdivision majeure d'un événement glaciaire séparant deux étages glaciaires, caractérisée par un climat assez chaud pour permettre la disparition des glaciers continentaux.

interlobaire

moraine interlobaire
Moraine formée à la jonction de deux lobes glaciaires.

intermontagnard; intermontagneux

intermorainique
Qui est situé entre deux moraines, comme, par exemple, un lac occupant une dépression étroite qui sépare deux moraines parallèles.

internal drainage; closed drainage; inland drainage; endorheism (2)

Surface drainage whereby the water does not reach the ocean, such as drainage toward the lowermost or central part of an interior basin.

drainage endoréique; écoulement endoréique

Type de drainage caractérisé par l'absence d'écoulement direct ou indirect des eaux vers l'océan.

International Union for Quaternary Research; INQUA

Union internationale pour l'étude du Quaternaire; INQUA

interstade; interstadial (n.)

A warmer substage of a glacial stage, marked by a temporary retreat of the ice.

interstade; interstadiaire (n.)

Subdivision d'un étage glaciaire, représentant un retrait des glaces de moindre importance ou temporaire lors de l'avancée générale du glacier.

interstratified; interbedded

interstratifié

intertill (adj.)

Situated between two tills.

intertill (adj.) (inv.)

Intercalé entre deux tills, comme, par exemple, un aquifère intertill.

intraglacial
SEE englacial

intramorainal; intramorainic

Said of deposits and phenomena occurring within a lobate curve of a moraine.

intramorainique

Se dit des dépôts et des phénomènes produits dans le pli d'une moraine.

intrenched meander; entrenched meander; inclosed meander; incised meander

méandre encaissé

intrenchment; entrenchment

encaissement

isobase

A term used for a line that connects all areas of equal uplift or depression; it is used especially in Quaternary geology as a means for expressing crustal movements related to postglacial uplift.

isobase (n.f.)

Courbe de niveau reliant les régions où le soulèvement ou la dépression sont de même importance. L'isobase est particulièrement utilisée par les quaternaristes pour décrire les mouvements crustaux reliés au soulèvement postglaciaire.

isopollen; isopoll

A line on a map connecting locations with samples having the same percentage or amount of pollen of a given kind.

courbe isopollinique (prop.)

Courbe de niveau reliant sur une carte les lieux d'échantillonnage où le pourcentage ou la quantité de pollen d'une espèce donnée sont les mêmes.

isostasy	isostasie
isostatic adjustment; isostatic compensation	rajustement isostatique; compensation isostatique
isostatic correction	correction isostatique
isostatic rebound; isostatic uplift	relèvement isostatique; soulèvement isostatique
isotope fractionation; isotopic fractionation	fractionnement isotopique
isotopic age; radiometric age	âge isotopique; âge radiométrique
isotopic age determination; radiometric dating	datation isotopique; datation radiométrique
isotopic fractionation; isotope fractionation	fractionnement isotopique

ka
Thousands of years.

ka

kame

kame

kame-and-kettle topography
SEE knob-and-kettle topography

kame delta; ice-contact delta

delta-kame; delta de kame; delta juxtaglaciaire

kame moraine
An end moraine that contains numerous hummocky mounds of irregularly bedded sand and gravel with subordinate till, deposited unevenly from meltwater flowing along or near a moving or decaying stagnant glacier.

moraine de kame
Moraine frontale constituée de monticules de sable et de gravier mal stratifiés qui définissent clairement la position d'un ancien lobe glaciaire. La moraine de kame est constituée surtout de matériaux fluvioglaciaires mis en place près du front d'un glacier inactif.

kame terrace; ice-contact terrace; ice marginal terrace

terrasse de kame; terrasse juxtaglaciaire

51

Kansan (n.); **Kansan Glacial Stage**
The classical second glacial stage of the Pleistocene Epoch in North America, after the Aftonian Interglacial Stage and before the Yarmouthian.
NOTE In the Alps, the second glacial stage is called Mindel.

Kansan (adj.)

Kansan Glacial Stage
SEE **Kansan** (n.)

Kansan Glaciation

karstification

kettle; kettle hole; kettle basin
A steep-sided, usually basin- or bowl-shaped hole or depression, commonly without surface drainage, in glacial-drift deposits (esp. outwash and kame fields), often containing a lake or swamp; formed by the melting of a large, detached block of stagnant ice (left behind by a retreating glacier) that had been wholly or partly buried in the glacial drift. Kettles range in depth from about a meter to tens of meters, and in diameter to as much as 13 km.

kettle lake; kettle-hole lake
A body of water occupying a kettle, as in a pitted outwash plain or in a kettle moraine.

kettle moraine
A morainic area characterized by an extremely ondulating terrain of kames and kettles.

kettle plain
A pitted outwash plain marked by many kettles.

key fossil
SEE **index fossil**

Kansanien (n.)
En Amérique du Nord, second étage glaciaire du Pléistocène, succédant à l'Interglaciaire aftonien et précédant l'Interglaciaire yarmouthien.
NOTA Dans les Alpes, l'équivalent du Kansanien est le Mindel.

kansanien (adj.)

Glaciation kansanienne

karstification

kettle
Dépression escarpée de formes diverses à la surface des dépôts glaciaires. Les kettles résultent de la fonte de culots de glace enfouis dans les sédiments glaciaires. La fonte de la glace entraîne l'affaissement des sédiments sus-jacents, et par conséquent une dépression. Les kettles sont souvent occupés par un lac ou un marais.

lac de kettle
Nappe d'eau occupant un kettle, située, par exemple, dans une plaine d'épandage criblée ou dans une moraine à kettles.

moraine à kettles
Région morainique caractérisée par une forte ondulation due à la présence de nombreux kames et kettles.

plaine à kettles
Plaine d'épandage criblée caractérisée par la présence de nombreux kettles.

knob; conical hill

colline conique

knob-and-kettle topography;
knob-and-basin topography;
kame-and-kettle topography
An undulating landscape in which a
disordered assemblage of knolls,
mounds, or ridges of glacial drift is
interspersed with irregular
depressions, pits, or kettles that are
commonly undrained and may
contain swamps or ponds.

topographie en bosses et creux

Relief ondulé constitué de crêtes, de
buttes, ou de monticules
glacio-sédimentaires mal ordonnés, et
de dépressions irrégulières, creux ou
kettles, d'où l'eau ne s'écoule
généralement pas, et qui peuvent
contenir un marais ou une mare.

kryoconite; cryoconite

cryoconite

lacustral; lacustrian; lacustrine

lacustre

lacustrine phase

phase lacustre

lacustrine platform

plate-forme lacustre

lag gravel; lag deposit

résidu de déflation

lake deposit

dépôt lacustre

lake rampart; ice-push ridge;
ice-thrust ridge (1)

bourrelet lacustre

lamina; lamination (2)
The thinnest recognizable unit layer
of original deposition in a sediment
or sedimentary rock. Several laminae
may constitute a bed.

lamine
Plus petite unité sédimentaire originale
reconnaissable. Plusieurs lamines
peuvent constituer un lit.

laminar flow
In glaciology, a term used to
designate a type of flow in which the
flow vectors are all parallel with the
surface and the bed of the glacier;
there is neither extending nor
compressive flow.

écoulement laminaire
Appliqué aux glaciers, ce type
d'écoulement se produit lorsque les
vecteurs d'écoulement sont parallèles
à la surface et au lit du glacier; il n'y
a pas d'écoulement compressif ni
d'écoulement extensif.

lamination (1)
The formation of laminae or the state of being laminated.

lamination
Formation de lamines ou fait d'être laminé.

lamination (2)
SEE **lamina**

land bridge
A land connection between continents or landmasses, often subject to temporary or permanent submergence, that permits the migration of organisms, e.g. The Bering Land Bridge.

pont continental; voie terrestre
La jonction temporaire de deux masses continentales permettant la migration d'organismes.

landform; relief feature

relief; forme du relief

landslide; landslip

glissement de terrain

landslide scar

niche de décollement; niche d'arrachement

landslip; landslide

glissement de terrain

late glacial

tardiglaciaire

lateral erosion
The wearing-away of its banks by a meandering stream as it swings from side to side, impinging against and undercutting the banks as it flows downstream; it results in lateral planation.

érosion latérale
Érosion mécanique qui se manifeste par le sapement d'une berge.

lateral moraine; side moraine; valley-side moraine; flanking moraine
A low ridgelike moraine carried on, or deposited at or near, the side margin of a mountain glacier. It is composed chiefly of rock fragments loosened from the valley walls by glacial abrasion and plucking, or fallen onto the ice from the bordering slopes.

moraine latérale
Accumulation de débris rocheux tombés des versants montagneux sur la surface, ou aux abords, d'un glacier de vallée, et entraînés sous forme de moraine.

lateral spread
Lateral movements in a fractured mass of rock or soil, which result from liquefaction or plastic flow of subjacent materials.

Laurentide Ice Sheet

lee side
The side protected from blowing wind, advancing waves, water currents, or flowing ice, as the downstream side of glaciated rocks which is generally indicated by roughened and steeper surfaces.

lichenometry

lift-off moraine
A moraine formed by a grounded glacier as it rises from the seabed.

limit of submergence

linear disintegration ridge; linear ice-block ridge

liquefaction

liquefaction slide; flow slide

Little Ice Age

littoral
NOTE "Shore", "shoreline" and "longshore", as adjectives, are also used in this context.

load (glaciol.)

lodgement till; lodgment till; comminution till
A till deposited beneath a moving glacier, characterized by a compact, fissile structure and stones oriented with their long axes parallel to the direction of flow.
cf. **basal till**

déplacement latéral
Mouvements latéraux dans une roche ou un sol fracturé, résultant de la liquéfaction ou de l'écoulement plastique des matériaux sous-jacents.

Inlandsis laurentidien

face aval
Face protégée du vent, des vagues, des courants ou des glaces en mouvement. La face aval des roches englacées est généralement indiquée par une surface rugueuse et une plus forte pente.

lichénométrie

moraine de désancrage
Moraine formée lors de l'émersion d'un glacier ancré.

limite de submersion

crête linéaire de désagrégation

liquéfaction

glissement par liquéfaction

Petit âge glaciaire

littoral (adj.)

charge sédimentaire (d'un glacier)

till de fond (1)

NOTA Le terme « till de fond » désigne indifféremment les tills avec ou sans orientation des particules.

lodge moraine; submarginal moraine

A moraine of billowy relief, consisting of subglacial debris lodged under a thin margin of a glacier.

moraine submarginale

Moraine au relief ondulé, constituée de débris sous-glaciaires déposés sous une marge glaciaire mince.

lodgment till
SEE **lodgement till**

loessal; loessial

loessique

longshore (adj.)
SEE **littoral**

loop moraine; valley-loop moraine; moraine loop

An end moraine of a valley glacier, shaped like an arc or half-loop, concave toward the direction from which the ice approached; it is usually steep on both sides and extends across the valley.

arc morainique

Moraine frontale d'un glacier de vallée, en forme d'arc ou de demi-cercle, et concave dans le sens de progression du glacier.

lunate mark; crescentic scar; crescentic mark

cicatrice en croissant; marque en croissant; marque d'arrachement; cupule d'arrachement

lunoid furrow; crescentic gouge; gouge mark; gouge

coup de gouge

lysocline

The level or ocean depth at which the rate of solution of calcium carbonate just exceeds its combined rate of deposition and precipitation.

lysocline

Profondeur océanique à partir de laquelle le taux de solubilité du carbonate de calcium est légèrement supérieur à son taux combiné de sédimentation et de précipitation.

Ma
Millions of years.

Ma

macroremains

macrorestes

magnetic lineation; magnetic stripe
A line on the sea floor along which
the magnetic field has a greater or
lesser intensity than the regional
field. Sequences of normal and
reversed magnetic lineations,
identified by ship or aircraft surveys,
are essential in working out the
sea-floor spreading history of the
world's oceans.

**magnetopolarity unit;
magnetostratigraphic polarity
unit; polarity rock-stratigraphic
unit**

magnetopolarity zone
SEE polarity zone

**magnetostratigraphic polarity unit;
polarity rock-stratigraphic unit;
magnetopolarity unit**

magnetostratigraphic polarity zone
SEE polarity zone

magnetostratigraphic unit

malacology

marginal channel

marginal lake

marginal moraine; border moraine

Generally applied to present-day
glaciers and to mountain valleys
occupied by alpine or valley glaciers.
Marginal moraines are formed at the
margin of glaciers and include
cross-valley, lateral, and end
moraines.

**marine invasion; marine
transgression**

marine limit

marine regression

bande magnétique
Sur le fond marin, ligne le long de
laquelle le champ magnétique a une
intensité plus élevée ou plus faible que
le champ régional. Les séquences de
bandes normales et de bandes inverses,
identifiées par des levés effectués à
bord de navires ou d'avions,
permettent de déterminer les étapes
d'expansion des fonds océaniques.

unité magnétopolaire

unité magnétopolaire

unité magnétostratigraphique

malacologie

chenal marginal

lac marginal

**moraine marginale; moraine
bordière**
Toute moraine en bordure d'un
glacier. Les moraines frontales,
latérales, et terminales sont des
exemples de moraines marginales.
NOTA Certains auteurs emploient ces
deux termes pour désigner uniquement
une moraine en bordure d'un inlandsis.

**invasion marine; transgression
marine**

limite marine

régression marine

57

marine transgression; marine invasion

transgression marine; invasion marine

marsh

A mineral wetland or a peatland that is periodically inundated by standing or slowly moving water. Surface water levels may fluctuate seasonally, with declining levels exposing drawdown zones of matted vegetation or mudflats. The waters are rich in nutrients, varying from fresh to highly saline. The substratum usually consists of mineral material, although occasionally it consists of well-decomposed peat.

marais

Terre humide ou tourbière minérale périodiquement inondée par des eaux stagnantes ou quasi stagnantes. Le niveau de l'eau de surface, variable selon les saisons, expose, aux périodes d'étiage, des plages de végétation dense. Les eaux sont riches en éléments nutritifs et varient de douces à très salées. Le substrat se compose habituellement de matériaux minéraux et parfois de tourbe bien décomposée.

mass balance; mass budget

bilan de masse; bilan massique

mass movement

A unit movement of a portion of the land surface.

mouvement de terrain; mouvement de masse

Mouvement unitaire d'une portion de terrain.

matched terraces
SEE **paired terraces**

Matuyama Reverse Polarity Chron; Matuyama Reverse Polarity Epoch

A polarity-chronologic division of the Pleistocene Epoch (Quaternary Period) from 2.5 to 0.7 Ma.

Chrone polaire inverse de Matuyama; époque inverse de Matuyama

Division polaro-géochronologique du Pléistocène (Période quaternaire), de 2,5 à 0,7 Ma.

mean sea level; geodetic sea level; MSL

niveau moyen de la mer; niveau géodésique de référence

mechanical analysis

Determination of the particle-size distribution of a soil, sediment, or rock by screening, sieving, or other means of mechanical separation.

analyse mécanique

Détermination de la granulométrie d'un sol, d'un sédiment ou d'une roche par tamisage, criblage ou tout autre procédé de séparation mécanique.

mechanical erosion
SEE **corrasion**

median moraine; medial moraine
An elongate moraine carried in or upon the middle of a glacier and parallel to its sides, usually formed by the merging of adjacent and inner lateral moraines below the junction of two coalescing valley glaciers.

melt-out till
A till deposited by slow melting out of the top surface of masses of dead ice covered by a stable overburden.

meltwater

meltwater channel

meteoric water

Milankovitch theory
An astronomical theory of glaciation, formulated by Milutin Milankovitch (1879-1958), Yugoslav mathematician, in which climatic changes result from the fluctuations in the seasonal and geographic distribution of insolation, determined by variations of the Earth's orbital elements namely, eccentricity, tilt of rotational axis, and longitude of perihelion.

Mindel
SEE **Kansan**

Mindel-Riss
SEE **Yarmouth**

mineralized boulder

mini-crag and tail; rat-tail

modern carbon
SEE **contemporary carbon**

mollisol
SEE **active layer**

monadnock; torso mountain

moraine médiane
Moraine formant un cordon allongé, parallèle aux côtés d'un glacier, bordée de glace de part et d'autre; elle est le résultat de la juxtaposition des moraines latérales de deux langues confluentes.

till de fusion
Till qui résulte de la fusion lente de la surface supérieure de masses de glace inactive protégées par une couverture meuble stable.

eau de fonte

chenal d'eau de fonte

eau météorique; eau de pluie

théorie de Milankovitch
Théorie astronomique des glaciations dans laquelle les changements climatiques sont le résultat des fluctuations de l'insolation dues aux variations de l'orbite terrestre, de l'excentricité, de l'angle de rotation et de la longitude du périhélie (aspide inférieur de la Terre).

bloc minéralisé

queue-de-rat

monadnock

monolith

morainal; morainic

morainal belt

morainal dam

morainal-dam lake; drift-barrier lake

A glacial lake formed upstream from a moraine that has blockaded a valley or a drainage course.
NOTE Not to be confused with "morainal lake".

morainal lake

A glacial lake occupying a depression resulting from irregular deposition of drift in a moraine.

morainal ridge; moraine ridge

morainal topography

moraine

A mound, ridge, or other distinct accumulation of generally unsorted, unstratified glacial drift, predominantly till, deposited chiefly by direct action of glacier ice, in a variety of topographic landforms that are independent of control by the surface on which the drift lies.

moraine complex; moraine system

moraine deposit

moraine in transit; moving moraine; carried moraine

All rock debris that is being transported by a glacier; the opposite of "deposited moraine".

moraine loop
SEE loop moraine

monolithe

morainique

ceinture morainique

barrage morainique

lac de barrage morainique

Lac glaciaire formé en amont d'une moraine qui bloque une vallée ou un réseau hydrographique.
NOTA À ne pas confondre avec « lac morainique ».

lac morainique

Lac glaciaire occupant une dépression qui résulte du dépôt irrégulier des sédiments glaciaires d'une moraine.

crête morainique

relief morainique

moraine

Expression topographique des accumulations de sédiments glaciaires, généralement du till, et suffisamment épaisse pour créer un relief; sa forme est variable et indépendante de la surface sur laquelle elle a été déposée.

complexe morainique

dépôt morainique

moraine mouvante; moraine en mouvement

Ensemble des débris transportés par un glacier; le contraire de « moraine déposée ».

moraine plateau
A relatively flat area within a hummocky moraine, generally at the same elevation as, or a little higher than, the summits of surrounding knobs.

moraine ridge; morainal ridge

moraine segment

moraine system; moraine complex

moraine train

morainic; morainal

moulin; glacier mill; glacial mill; glacier pothole; glacier well
A roughly cylindrical, nearly vertical, well-like opening, hole, or shaft in the ice of a glacier, scoured out by swirling meltwater as it pours down from the surface.

moulin kame

moulin pothole
SEE **giant's kettle**

mountain glacier

moving moraine
SEE **moraine in transit**

MSL; mean sea level; geodetic sea level

mudflow

mudflow till

multiple-dome model
A glaciation model based on the hypothesis that the ice sheet or ice cap covering an area consists of several distinct domes.

plateau morainique
Étendue, à surface relativement plane, à l'intérieur des limites d'une moraine bosselée, généralement de même hauteur ou un peu plus haute que les sommets des bombements environnants.

crête morainique

segment de moraine

complexe morainique

traînée morainique

morainique

moulin; moulin glaciaire
Puits ou conduit cylindrique vertical ou fortement incliné, creusé dans la glace d'un glacier par l'eau de fonte supraglaciaire qui s'y jette en tourbillonnant.

kame de moulin

glacier de montagne

niveau moyen de la mer; niveau géodésique de référence

coulée boueuse; coulée de boue

till de coulée boueuse

modèle à dômes multiples
Modèle de glaciation fondé sur l'hypothèse selon laquelle la nappe ou la calotte glaciaires recouvrant un territoire seraient constituées de plusieurs dômes distincts.

nailhead striation; nailhead scratch
A glacial striation with a definite blunt head or point of origin, generally narrowing or tapering in the direction of ice movement and coming to an indefinite end.

strie en tête de clou; clouure
Strie glaciaire dans la roche en place, dont la forme en clou résulte de l'arrachement d'un large éclat de roche à une extrémité; elle se continue en rétrécissant jusqu'à l'autre extrémité.

NAP; nonarborescent pollen; nontree pollen

pollen d'herbacées

natural remanent magnetization; natural remanent magnetism; NRM
The entire remanent magnetization of a rock in situ.

aimantation rémanente naturelle

Aimantation rémanente totale d'une roche en place.

Nebraskan (n.); **Nebraskan Glacial Stage**
The first classical glacial stage of the Pleistocene Epoch in North America, followed by the Aftonian Interglacial Stage.
NOTE In the Alps, the first glacial stage is called Günz.

Nébraskien (n.)

En Amérique du Nord, premier étage glaciaire du Pléistocène, précédant l'Interglaciaire aftonien.
NOTA Dans les Alpes, l'équivalent du Nébraskien est le Günz.

Nebraskan (adj.)

nébraskien (adj.)

Nebraskan Glacial Stage
SEE **Nebraskan** (n.)

Nebraskan Glaciation

Glaciation nébraskienne

névé
SEE **firn field**

nieve penitente; penitent

pénitent

nivation cirque

cirque de nivation

nivation hollow; snow niche

niche de nivation

nonarborescent pollen; nontree pollen; NAP	pollen d'herbacées
normal polarity	polarité normale
nourishment area SEE accumulation area	
NRM SEE natural remanent magnetization	
nunatak	nunatak

organic horizon	horizon organique
organic strata	couches organiques
outcrop	affleurement

outer moraine
In an Alpine moraine complex, the moraine located the farthest distance from the glacier source.

moraine externe
Dans un complexe morainique, particulièrement dans les Alpes, moraine située à la plus longue distance de l'origine du glacier.

outlet; outflow

outlet glacier

A glacier issuing from an ice sheet or ice cap through a mountain pass or valley, constrained to a channel or path by exposed rock.

exutoire; émissaire

glacier émissaire; glacier effluent; glacier de décharge

Glacier émanant d'une nappe ou d'une calotte glaciaires et traversant un col ou une vallée; son parcours dépend du relief.

outwash; outwash drift; glacial outwash

Sand and gravel transported away from a glacier by streams of meltwater and either deposited as a flood plain along a pre-existing valley bottom or broadcast over a pre-existing plain in a form similar to an alluvial fan.

dépôt d'épandage fluvioglaciaire

Étalement de sédiments triés, transportés et accumulés à l'avant du front glaciaire par les eaux de fonte; il est généralement constitué de sable et de gravier déposés en couches bien distinctes.

outwash plain; frontal plain; wash plain

A broad, gently sloping sheet of outwash deposited by meltwater streams flowing in front of or beyond a glacier, and formed by coalescing outwash fans.

plaine d'épandage fluvioglaciaire

Plaine d'épandage proglaciaire construite par les matériaux sableux prélevés aux moraines et déposés en cônes aplatis par les écoulements diffus en avant du front glaciaire.

outwash terrace; frontal terrace

terrasse d'épandage fluvioglaciaire; terrasse frontale

outwash train; valley train

traînée fluvioglaciaire

overburden

couverture meuble

NOTA Le terme « mort-terrain » s'emploie comme équivalent dans le cas d'une couverture meuble qu'il faut traverser ou enlever pour atteindre des roches ou des dépôts exploitables.

overdeepened valley

A valley that has been gently deepened by glacial action.

vallée surcreusée

Vallée légèrement approfondie par le passage des glaciers.

overdeepening

surcreusement

overflow

débordement

overflow channel; glacial spillway

déversoir de lac glaciaire; exutoire de lac glaciaire

oversteepened valley

vallée à parois surraidies

oversteepening

The process of steepening the walls of a valley by the passage of a valley glacier.

surraidissement

Accentuation des flancs d'une vallée par le passage d'un glacier.

overthrust

charriage

overwash terrace	terrasse de débordement
oxbow	méandre délaissé; méandre abandonné; méandre mort NOTA « Oxbow » : terme anglais parfois employé.
oxygen isotope stage x	étage x de la stratigraphie isotopique de l'oxygène

paired terraces; matched terraces
Two stream terraces that face each other at the same elevation from opposite sides of the stream valley and that represent the remnants of the same flood plain or valley floor.

terrasses couplées
Terrasses fluviales situées au même niveau, en face l'une de l'autre et de chaque côté d'une vallée. Elles sont les vestiges d'une plaine d'inondation ou d'une vallée d'inondation anciennes.

paleoclimate; geologic climate

paléoclimat

paleomagnetism

paléomagnétisme

paleosol
A soil horizon that formed on the surface during the geologic past, that is, an ancient soil.
NOTE The terms "buried soil" and "fossil soil" are sometimes used incorrectly as synonyms of "paleosol".

paléosol
Sol dont les caractères sont dus à une évolution ancienne dans les conditions de climat et de végétation différentes de celles qui prévalent actuellement.

palsa
NOTE Palsen (pl.).

palse

palustrine

palustre

parallel ripple mark; current ripple; current ripple mark

ride de courant

passive glacier

glacier passif

paternoster lake

One of a chain or series of small circular lakes occupying rock basins, usually at different levels, in a glacial valley, separated by morainal dams or riegels, but connected by streams, rapids, or waterfalls, to resemble a rosary or a string of beads.

pattern of ice retreat; deglaciation pattern

pebble
cf. **cobble**

pedestal rock; perched block; perched boulder; perched rock; balanced rock

peneplain

peneplanation

penitent; nieve penitente

percentage melt

perched block; perched boulder; perched rock; balanced rock; pedestal rock

perched glacial valley; hanging valley; hanging trough

perched lake

perched rock; balanced rock; pedestal rock; perched block; perched boulder

percolating water

lac glaciaire en gradins; lac en chapelet

Un des petits lacs circulaires occupant généralement les ombilics d'une vallée glaciaire. Ils sont situés à des niveaux d'élévation différents et sont reliés par des cours d'eau, des chutes ou des rapides, de façon à former une chaîne.

mode de déglaciation; mode de retrait glaciaire

caillou
NOTA Certains traduisent *pebble* par « galet ». Les classifications granulométriques de langue française ne correspondent pas exactement à celles de langue anglaise. Nous préconisons les équivalents proposés dans le présent ouvrage.

bloc perché

pénéplaine

pénéplanation

pénitent

pourcentage de regel

bloc perché

vallée suspendue

lac perché

bloc perché

eau de percolation

percussion scar; percussion mark

marque de percussion; marque de choc

periglacial
Said of the processes, conditions, areas, climates, and topographic features at the immediate margins of former and existing glaciers and ice sheets, and influenced by the cold temperature of the ice.

périglaciaire
Qualifie les conditions, les processus et les formes de relief associés au froid, en milieu non glaciaire.

perimarine

périmarin

permafrost
Ground (soil or rock) that remains at or below 0°C for at least two years.

pergélisol
Sol (ou roche) qui se maintient à une température égale ou au-dessous de 0 °C pendant au moins deux ans.

permafrosted

pergélisolé

photointerpretation; photographic interpretation

photo-interprétation; interprétation photographique

piedmont

piémont

piedmont glacier

glacier de piémont

piedmont lake

lac de piémont

pitted outwash

Outwash with pits or kettles, produced by the partial or complete burial of glacial ice and the subsequent thaw of the ice and collapse of the surficial materials.

dépôt d'épandage piqué; dépôt d'épandage criblé
Dépôt d'épandage dont la surface est criblée de dépressions dues à l'affaissement des matériaux de surface après la fonte des blocs de glace qui avaient été enterrés ou recouverts.

pitted outwash plain; pitted plain

plaine d'épandage piquée; plaine d'épandage criblée

placer

placer (n.m.)

planation surface
SEE erosion surface

plastic flow

écoulement plastique

Pleistocene (n.)

The first epoch of the Quaternary Period which began 1.64 Ma ago after the Pliocene. It makes up the greater part of the Quaternary and is characterized by a succession of major glaciations separated by episodes of warmer climate. The Pleistocene Epoch is divided into Early, Middle, and Late subdivisions. In Canada the latest part of the Middle Pleistocene is referred to as the Illinoian Stage, and the Late Pleistocene is subdivided into Sangamonian and Wisconsinan stages. The Wisconsinan is further divided into Early, Middle, and Late substages.

NOTE The term "Great Ice Age" has also been used to designate the Pleistocene Epoch.

Pleistocene (adj.)

plucking; quarrying

A process of glacial erosion which involves the penetration of ice or rock wedges into subglacial niches, crevices, and joints in the bedrock; as the glacier moves, it plucks off pieces of jointed rocks and incorporates them.

pluck side

The downstream, or lee, side of a roche moutonnée, roughened and steepened by glacial plucking.

plunge basin; plunge pool

A deep, relatively large hollow or cavity scoured in the bed of a stream at the foot of a waterfall or cataract by the force and eddying effect of the falling water.

pluvial lake

Pléistocène (n.)

Première époque de la Période quaternaire succédant au Pliocène, et dont le début est fixé à 1,64 Ma. Cette époque constitue la majeure partie du Quaternaire. Elle est caractérisée par une succession de glaciations importantes séparées par des épisodes au climat plus chaud. Le Pléistocène est subdivisé en inférieur, moyen et supérieur. Au Canada, la toute dernière partie du Pléistocène moyen est désignée sous le nom de « Illinoien » ou « Étage illinoien », et le Pléistocène supérieur est divisé en deux étages, le Sangamonien et le Wisconsinien. Le Wisconsinien se subdivise à son tour en sous-étages inférieur, moyen et supérieur.

pléistocène (adj.)

débitage glaciaire; arrachement glaciaire; délogement glaciaire

Érosion du substratum rocheux par le passage du glacier qui détache et entraîne des fragments rocheux, des blocs dont la cassure est délimitée par les joints de stratification, les diaclases, etc.

côté débité

Côté aval d'une roche moutonnée qui porte les marques du débitage glaciaire.

marmite de géant (2); **chaudière**

Cavité circulaire profonde creusée au pied d'une chute dans le lit rocheux d'un cours d'eau par le mouvement tourbillonnaire et par la force d'impact de l'eau.

lac pluvial

polar glacier; cold glacier
A glacier whose temperature is below freezing to considerable depth, or throughout, and on which there is no melting even in summer.

glacier polaire; glacier froid
Glacier dont la température est presque partout en dessous du point de congélation; ce glacier ne fond pas, même en été.

polarity-change horizon; polarity-reversal horizon

horizon d'inversion polaire

polarity chron; polarity epoch

chrone polaire

polarity chronologic unit

unité polaro-géochronologique

polarity chronostratigraphic unit

unité polaro-chronostratigraphique

polarity chronozone; polarity interval

chronozone polaire

polarity epoch; polarity chron

chrone polaire

polarity event; polarity subchron; geomagnetic polarity event

sous-chrone polaire; événement polaire

polarity excursion

excursion polaire

polarity interval; polarity chronozone

chronozone polaire

polarity period; polarity superchron

superchrone polaire; période de polarité géomagnétique

polarity-reversal horizon; polarity-change horizon

horizon d'inversion polaire

polarity rock-stratigraphic unit; magnetopolarity unit; magnetostratigraphic polarity unit

unité magnétopolaire

polarity subchron; geomagnetic polarity event; polarity event

sous-chrone polaire; événement polaire

polarity subchronozone

sous-chronozone polaire

polarity subzone

sous-zone polaire

polarity superchron; polarity period

superchrone polaire; période de polarité géomagnétique

polarity superchronozone

superchronozone polaire

polarity superzone	superzone polaire

polarity superzone

superzone polaire

polarity transition-zone

zone de transition polaire

polarity zone;
magnetostratigraphic polarity
zone; magnetopolarity zone
NOTE The term "magnetopolarity
zone" should be used rather than
"polarity zone" where there is risk of
confusion with other kinds of
polarity.

zone polaire; zone de polarité; zone
magnétopolaire

pollen analysis
The study of Quaternary (esp. late
Pleistocene and postglacial)
sediments by employing pollen
diagrams and isopollen maps to show
the relative abundance of various
pollen types in space and time.

analyse pollinique
Analyse des différentes variétés de
pollen contenues dans les sédiments
(en particulier ceux du Pléistocène et
de l'époque postglaciaire) et de leur
abondance relative; cette analyse se
fait dans le but de recueillir des
informations sur le climat et la
végétation de l'époque.

pollen assemblage

assemblage pollinique

pollen diagram

diagramme pollinique

pollen grain

grain de pollen

polygenetic; polygenic

polygénique

ponding

retenue; stockage

postglacial
Referring to the interval of geologic
time since the total disappearance of
continental glaciers in middle
latitudes or from a particular area.

postglaciaire
Se dit des phénomènes ou dépôts de la
période suivant la disparition totale
des derniers glaciers continentaux aux
latitudes moyennes ou dans une région
donnée.

postglacial lake

lac postglaciaire

postglacial sea

mer postglaciaire

pothole; evorsion hollow; rock mill
A smooth, bowl-shaped or cylindrical hollow formed in the rocky bed of a stream by the grinding action of a stone or stones, or of coarse sediment whirled around and kept in motion by eddies or the force of the stream current in a given spot. NOTE "Churn hole" and "eddy mill" are sometimes used as synonyms.

marmite torrentielle
Cavité circulaire à pente douce creusée dans le lit rocheux d'un cours d'eau par l'action de broyage d'une ou de plusieurs pierres, ou de sédiments grossiers, dont le mouvement de rotation est entretenu par les tourbillons ou la force du courant à un endroit donné.

pressure melting point; pressure melting temperature

température de fusion in situ; température de fusion sous pression

pressure melting sliding

glissement par fusion sous pression

pressure melting temperature; pressure melting point

température de fusion in situ; température de fusion sous pression

primary till

till primaire

prodelta

prodelta

prodeltaic

prodeltaïque

profile of equilibrium; graded profile; equilibrium profile

profil d'équilibre

proglacial
Applied to the area immediately beyond the limits of the glacier; in front of a glacier.

proglaciaire
Se dit de tout phénomène observé sur le front du glacier ou sur la marge de la zone d'ablation.

proglacial lake; ice-marginal lake

lac proglaciaire; lac de front glaciaire

proglacial outwash plain

plaine d'épandage proglaciaire

progradation

progradation

71

protalus rampart

An arcuate ridge of coarse, angular blocks of rock derived by single rockfalls from a cliff or steep rocky slope above, marking the downslope edge of an existing or melted snowbank. The blocks roll and slide across the snowbank but no fine material reaches its edge. After the snowbank melts, the rampart or ridge stands some distance beyond any talus near the base of the cliff.

moraine de névé; croissant de névé

Accumulation en forme d'arc au pied d'un névé, composée de pierres et de blocs anguleux qui ont glissé ou roulé jusqu'au bas de la pente du névé.

provenance; source area

provenance; région d'origine

proxy data

données indirectes

push moraine
SEE **ice-push moraine**

push-ridge moraine
SEE **ice-push moraine**

pyramidal peak; horn; cirque mountain

aiguille glaciaire; aiguille pyramidale

quarried floor

plancher de débitage

quarried wall

mur de débitage

quarrying
SEE **plucking**

Quaternary (n.)
The second period of the Cenozoic Era and the latest geological time period. The internationally recommended time for the beginning of the Quaternary is 1.64 Ma. The predominant characteristics of the Quaternary are marked climatic change, glaciation, and the activity of other processes fuelled by climatic oscillations. The Quaternary Period is subdivided into the Pleistocene and the Holocene epochs with Holocene defined as the last 10 ka.

Quaternary (adj.)

quick clay flow

quiet-water basin

quiet-water deposit

quiet-water sedimentation

Quaternaire (n.)
Seconde période de l'Ère cénozoïque et période géologique la plus récente. Par convention, le début du Quaternaire est fixé à 1,64 Ma. Le Quaternaire est principalement caractérisé par des variations climatiques marquées, par des glaciations et par divers autres processus engendrés par des changements climatiques. La Période quaternaire est subdivisée en deux époques : le Pléistocène et l'Holocène, ce dernier couvrant les 10 derniers millénaires.

quaternaire (adj.)

coulée d'argile sensible

bassin de décantation

dépôt de décantation

décantation

racemization
A process in which an optically active stereoisomer is converted to a mixture of two isomers which possesses no optical activity.

racémisation
Processus par lequel un stéréoisomère optiquement actif est converti en deux stéréoisomères optiquement inactifs.

racemization age method
SEE **amino-acid racemization age method**

radioactive decay; radioactive disintegration

désintégration radioactive

radiocarbon age; [14]C **age; carbon-14 age**

âge radiocarbone; âge [14]C**; âge carbone 14**

radiocarbon dating
SEE **carbon-14 dating**

radiometric age; isotopic age

radiometric dating; isotopic age determination

raised beach
An ancient beach raised to a level above the present shoreline by uplift or by lowering of the sea level.

raised delta
An ancient delta formed where glacial and proglacial streams, carrying sediment, entered either a lake or sea; since that time, uplift of the land and hence lowering of water levels have resulted in deltas being elevated above present lake or sea levels.

raised shoreline notch

rat-tail; mini-crag and tail

ravinement; gullying; gully erosion

readvance
A new advance made by a glacier after receding from the position reached in an earlier advance.

Recent
SEE **Holocene**

recessional moraine; retreatal moraine
An end or lateral moraine built during a temporary but significant pause in the final retreat of a glacier.

redeposition

reference section

relic (adj.); **relict** (adj.)

relief feature; landform

âge radiométrique; âge isotopique

datation radiométrique; datation isotopique

plage soulevée
Plage ancienne observée au-dessus de la plage actuelle et qui, par suite d'une augmentation de son altitude due soit à un abaissement du niveau marin, soit au soulèvement du continent, n'est plus soumise à l'action de la mer.

delta soulevé
Ancien delta formé là où se jetaient les eaux glaciaires ou proglaciaires (à l'entrée d'un lac ou d'une mer); le delta est situé aujourd'hui au-dessus du niveau de la mer ou du lac, en raison du soulèvement isostatique de cette région.

encoche littorale soulevée

queue-de-rat

ravinement

réavancée; récurrence
Réavancée marquée d'un glacier après une phase de retrait.

moraine de retrait
Moraine frontale ou latérale qui a été déposée lors d'une halte du glacier durant le retrait général des glaces.

resédimentation

coupe de référence

relique (adj.)

relief; forme du relief

remanent magnetization
The component of a rock's magnetization that has a fixed direction relative to the rock and is independent of moderate, applied magnetic fields such as the Earth's magnetic field.

aimantation rémanente
Aimantation qui subsiste dans un matériau ferromagnétique doux après suppression du courant magnétisant.

residual (adj.)

résiduel (adj.)

reticulated

réticulé

retreatal moraine
SEE recessional moraine

retreating ice front

front glaciaire en retrait; front glaciaire en recul

retrogressive slipping

glissement rétrogressif; glissement régressif

reverse crescentic fracture

fracture de broutage inversée

reverse crescentic scar

cicatrice en croissant inversée

reversed polarity

polarité inverse

reworked clay

argile remaniée

rhythmite; rhythmic unit

rythmite

ribbed moraine
SEE Rogen moraine

ridge

crête

riegel; threshold; rock bar
A low, transverse ridge or barrier of bedrock on the floor of a glacial valley. It separates a rock basin from the gently sloping bottom farther downstream.

verrou; seuil glaciaire
Crête de roche en place qui barre une vallée glaciaire et la cloisonne en ombilics glaciaires.

rim ridge
A minor ridge of till defining the edge of a moraine plateau; it often rises above the central part of the plateau.

crête marginale
Crête composée de till, à la marge d'un plateau morainique et plus élevée que la partie centrale du plateau.

Riss
SEE Illinoian (n.)

Riss-Würm
SEE **Sangamon**

roche moutonnée
A small elongate protruding knob or hillock of bedrock, so sculptured by a large glacier as to have its long axis oriented in the direction of ice movement, an upstream side that is gently inclined, smoothly rounded, and striated, and a downstream side that is steep, rough, and hackly. NOTE "Sheepback rock" and "embossed rock" are sometimes used as synonyms.

roche moutonnée
Masse de roche résistante, de forme allongée, et sculptée par le passage d'un glacier. Son aspect dissymétrique lui est conféré par ses flancs dont l'un est long et légèrement incliné, à surface lisse et striée, tandis que l'autre est court avec une forte pente. NOTA La roche moutonnée se distingue du « crag-and-tail » par l'absence d'une traînée morainique à l'avant du nez rocheux.

rock bar
SEE **riegel**

rock-basin lake

lac d'ombilic glaciaire

rock block slide

glissement banc sur banc

rock drumlin; false drumlin
A smooth, streamlined hill, having a core of bedrock usually veneered with a layer of till; it is modelled by glacial erosion, and its long axis is parallel to the direction of ice movement. It is similar in outline and form to a true drumlin, but is generally less symmetrical and less regularly shaped.

drumlin rocheux
Colline d'origine glaciaire, à surface profilée et allongée dans le sens de l'écoulement glaciaire. Le drumlin rocheux est constitué d'un noyau de roche en place recouvert d'une mince couche de till. Sa forme est moins régulière et moins symétrique que celle d'un drumlin véritable.

rock fall

éboulement

rock fall avalanche

éboulement catastrophique

rock flour
SEE **glacial flour**

rockflow

coulée de blocs

rock glacier
Found on slopes, a mass of rock fragments and finer material that contains either interstitial ice or an ice core and shows evidence of past or present movement.

glacier rocheux
Masse de fragments de roche et de matériaux fins sur des versants, contenant de la glace interstitielle ou un noyau de glace, et indiquant un déplacement antérieur ou actuel.

rock mill
SEE pothole

rock slide; rock slip

glissement rocheux

rock topple

basculement rocheux

Rogen moraine; ribbed moraine
A moraine perpendicular to the direction of ice flow, formed of large-scale transverse ridges giving the overall appearance of an animal's ribs. The ridges, consisting of till for the most part, are generally steep-sided. In plan view, they appear slightly curved and wavy, and their ends merge to form poorly-defined ridges which intersect at various angles.

moraine de Rogen; moraine côtelée
Moraine perpendiculaire à l'écoulement glaciaire, constituée de crêtes transversales de grande ampleur qui donnent au terrain l'aspect général des côtes d'un animal. Les crêtes, formées principalement de till ont des versants généralement abrupts. En plan, elles sont légèrement arquées et ondulées, et leurs extrémités fusionnent pour former des crêtes mal définies qui se rencontrent à différents angles. La morphologie d'ensemble est accentuée par la présence de lacs qui occupent les dépressions entre les crêtes.

rotational landslide

glissement rotationnel

roundness
The degree of rounding of edges and corners of a clastic fragment, irrespective of its general shape.

émoussé
Degré d'usure d'un galet ou d'un grain.

S

saddle
A depression, in the form of a saddle, oriented at right angles to the direction of ice flow, resulting from differential erosion in a rock that is less resistant than the surrounding rock. Any other orientation of the less resistant rock would have resulted in a groove or channel.

ensellement
Dépression en forme de selle, orientée perpendiculairement à l'écoulement glaciaire, résultant de l'érosion différentielle d'une roche moins résistante que la roche encaissante. Toute autre orientation de la roche moins résistante aurait créé une rainure ou une cannelure.

sandur
Icelandic term for "outwash plain".

sandur
Équivalent islandais de « plaine d'épandage fluvioglaciaire »; les variantes orthographiques suivantes ont été relevées : « sandr »; « sandre ».

Sangamon; Sangamonian (n.); **Sangamonian Interglacial Stage**
The third classical interglacial stage of the Pleistocene Epoch in North America, after the Illinoian Glacial Stage and before the Wisconsinan. NOTE In the Alps, the third interglacial stage is called Riss-Würm.

Sangamonien (n.); **Interglaciaire sangamonien**
En Amérique du Nord, troisième interglaciaire du Pléistocène, succédant à l'Illinoien et précédant le Wisconsinien. NOTA Dans les Alpes, l'équivalent du Sangamonien est le Riss-Würm.

Sangamonian (adj.)

sangamonien (adj.)

Sangamonian Interglacial Stage
SEE **Sangamon**

sapping; cliff erosion; undermining; undercutting
Erosion along the base of a cliff by the wearing away of softer layers, thus removing the support for the upper mass which breaks off into large blocks and falls from the cliff face.

sapement; excavation
Creusement à la base d'un versant escarpé, par érosion des couches moins résistantes, avec formation de surplombs qui préparent des glissements de terrain ou des éboulements.

sastrugi; zastrugi

sastrugi

scouring; glacial scour

affouillement glaciaire

scour side
The upstream, or stoss, side of a roche moutonnée, smoothed, striated, and rounded by glacial abrasion.

côté affouillé
Côté amont d'une roche moutonnée qui a été poli, strié, et arrondi par abrasion glaciaire.

scratch; striation

strie; striure

secondary till

till secondaire

sedimentary cover

couverture sédimentaire

segregation ice

glace de ségrégation

selective weathering; differential weathering

altération différentielle

shakehole; sinkhole; doline

shear moraine

shear stress

sheepback rock
SEE roche moutonnée

shingle

shore (adj.)
SEE littoral

shoreline; strandline

shoreline (adj.)
SEE littoral

shoulder; trimline
A bench on the side of a glaciated valley occurring at the marked change of slope where the steep side of the inner, glaciated valley meets the much gentler slope above the level of glaciation.

shoved moraine
SEE ice-push moraine

side moraine
SEE lateral moraine

silt

single-dome model
Glaciation model based on the hypothesis that the ice sheet or ice cap covering an area consists of a single dome, generally with radial flow.

sinkhole; doline; shakehole

sinkhole karst

doline

moraine de cisaillement

contrainte de cisaillement

galet de plage

ligne de rivage; littoral (n.)

épaulement
Dans une auge glaciaire, replat situé au niveau supérieur du glacier auquel se raccordent des vallées suspendues, et marquant le passage des versants à forte pente érodés par le glacier, aux versants à pente plus douce au-dessus de la limite supérieure du glacier.

silt
Le terme « limon » employé par certains auteurs pour traduire *silt* a une connotation génétique que le terme français « silt » n'a pas.

modèle à dôme unique
Modèle de glaciation fondé sur l'hypothèse selon laquelle la nappe ou la calotte glaciaires recouvrant un territoire seraient constituées d'un seul dôme, généralement à écoulement radial.

doline

karst à dolines

skin flow

glissement pelliculaire

slippage over a water layer

glissement par cavitation

snowline

limite des neiges persistantes; limite des neiges permanentes

snow niche; nivation hollow

niche de nivation

solifluction; soil flow
Slow downslope flow of saturated unfrozen earth materials.

solifluxion
Lente descente de matériaux saturés d'eau le long d'une pente.

solifluction lobe; solifluction tongue

lobe de solifluxion

solution; dissolution

dissolution

solution form; solution feature

forme de dissolution; structure de dissolution

source area; provenance

région d'origine; provenance

spontaneous fission-track dating
SEE fission-track dating

spring-sapping

sapement régressif; sapement par source

stade; stadial (n.)
A substage of a glacial stage marked by a glacial readvance.

stadiaire (n.); stade; stade glaciaire
Sous-étage glaciaire marqué par une réavancée des glaciers.

stadial moraine
A moraine built during a slight or minor readvance of the ice front during a period of general recession.
NOTE Some dictionaries give "recessional moraine" as a synonym of "stadial moraine" since a stadial moraine is always built during a glacial recession. "Recessional moraine" is a more general term.

moraine stadiaire
Moraine de retrait déposée lors de la réavancée secondaire des glaces pendant la période de retrait général.
NOTA « Moraine stadiaire » s'emploie parfois comme synonyme du terme générique « moraine de retrait ».

stagnant glacier
SEE dead glacier

stagnant ice; dead ice

glace stagnante; glace morte

stagnation

stagnation

stagnation moraine
SEE dead-ice moraine

steady state

régime stationnaire; régime constant

stepped terrace
SEE terrace flight

stone field
SEE block field

storm ridge; storm beach; storm
terrace

crête de tempête

stoss-and-lee topography;
stoss-and-lee features

formes dissymétriques; topographie
en formes dissymétriques

stoss side
In a glacially sculptured rock, the
upstream side; generally polished,
grooved and striated.

face amont
Côté amont d'une roche sculptée par
le passage d'un glacier dont la surface
est généralement polie, striée et
cannelée.

stranded ice
SEE grounded ice

strandline; shoreline

ligne de rivage; littoral (n.)

stratification

stratification

stratified

stratifié

stream-built terrace
SEE alluvial terrace

stream line
NOTE Of a glacier.

ligne d'écoulement

streamlined form

forme profilée

striated

strié

striation; scratch

strie; striure

structural valley

vallée structurale

subaerial

subaérien

subaqueous

subaquatique

subaqueous outwash; subwash

épandage subaquatique

subaqueous till
SEE **berg till**

subglacial; infraglacial
Relating to, formed in or by the bottommost part of a glacier or the area immediately underlying a glacier.

sous-glaciaire; infraglaciaire
Se dit des formes ou des dépôts observés sous le glacier.

submarginal moraine
SEE **lodge moraine**

submerge (v.)

submerger

submerged valley

vallée submergée

submergence

submersion; submergence

subwash; subaqueous outwash

épandage subaquatique

superficial deposit; surficial deposit

dépôt superficiel; dépôt en surface

superficial moraine
SEE **surficial moraine**

superglacial; supraglacial
Carried on, deposited from, or pertaining to the top surface of a glacier or ice sheet.

supraglaciaire
Se dit de tout sédiment, débris ou phénomène s'observant à la surface supérieure du glacier.

surficial deposit; superficial deposit

dépôt superficiel; dépôt en surface

surficial moraine; superficial moraine
A moraine, such as a lateral or medial moraine, in transit on the surface of a glacier.

moraine superficielle
Toute moraine transportée à la surface du glacier, p. ex. les moraines latérales et les moraines médianes.

surging glacier
A glacier that alternates periodically between surges (brief periods of rapid flow lasting two to three years), and longer periods (usually 10 to 100 years) of near stagnation.

glacier en crue
Glacier qui, pendant une courte période de temps (2 ou 3 ans), s'écoule rapidement entre deux longues périodes d'écoulement beaucoup plus lent (généralement entre 10 et 100 ans).

swamp
A mineral wetland or a peatland with standing water or water gently flowing through pools of channels. The water table is usually at or near the surface. There is pronounced internal water movement from the margin or other mineral sources; hence the waters are rich in nutrients.

marécage
Tourbière ou étendue de terrain humide où l'eau est stagnante ou s'écoule très lentement dans les étangs et les canaux. La nappe phréatique se situe généralement au niveau ou près de la surface. Comme il se produit un important écoulement en provenance de la bordure du marécage ou d'autres zones riches en minéraux, ses eaux contiennent beaucoup d'éléments nutritifs.

synchroneity; synchronism

synchronisme

synchronous

synchrone

talik

talik

talus fan

cône d'éboulis

talus slope
A steep, concave slope formed by an accumulation of loose rock fragments; esp. such a slope at the base of a cliff, formed by the coalescence of several rockfall taluses or alluvial taluses; the surface profile of an accumulation of talus.

tablier d'éboulis; pente d'éboulis
Pente raide et concave formée par l'accumulation de fragments rocheux; particulièrement une pente au pied d'une falaise formée par la réunion de plusieurs talus rocheux ou alluviaux.

talweg; thalweg

talweg; thalweg

temperate glacier; warm glacier
A glacier with a temperature that is near the melting point.

glacier tempéré
Glacier dont la température est près du point de fusion (0 °C).

tephrochronology
The dating of different layers of volcanic ash for the establishment of a sequence of geologic and archeologic occurrences.

téphrochronologie
Datation basée sur la corrélation des dépôts de cendres volcaniques qui ont été projetées dans l'atmosphère, puis réparties sur de grandes surfaces par les vents à certaines époques des temps géologiques.

terminal moraine
An end moraine that marks the
farthest advance of a glacier.
NOTE The term "terminal moraine"
is sometimes used incorrectly as a
synonym of "end moraine".

moraine terminale
Moraine frontale marquant la limite
maximale d'avancée d'un glacier.

terminus
SEE glacial front

terrace flight; stepped terrace
A series of terraces resembling a
series of stairs, formed by the
swinging meanders of a degrading
stream that continuously excavates
its valley.

**terrasses étagées; terrasses en
gradins**
Série de terrasses qui ressemblent à
des escaliers, et qui ont été formées
par les méandres fortement ondulants
d'un cours d'eau qui n'a pas encore
atteint son profil d'équilibre et qui
creuse activement sa vallée.

thalweg; talweg

thalweg; talweg

thermal erosion
The erosion of ice-rich permafrost
by the combined thermal and
mechanical action of moving water.

érosion thermique
Érosion d'un pergélisol à haute teneur
en glace par l'action thermique et
mécanique de l'eau courante.

**thermal optimum; thermal
maximum; climatic optimum**

optimum climatique

thermokarst; cryokarst
Karstlike topographic features
produced in a permafrost region by
the local melting of ground ice and
the subsequent settling of the ground.

thermokarst; cryokarst
Modelé, analogue au karst, caractérisé
par des dépressions formées par
l'affaissement du sol que provoque le
dégel du pergélisol ou de la glace
fossile.

thermoluminescent dating
A method of dating applicable to
materials that have once been heated
(e.g. pottery, lava flows). A fraction
of the energy released by decay of
long-lived radioactive nuclides is
stored as trapped electrons, and this
energy is released as light upon
heating. The age of a sample can be
determined if the natural
thermoluminescence is measured, the
thermoluminescence induced by a
known radiation dose is measured,
and the radiation dose received by

datation par thermoluminescence
Un minéral formé anciennement, ou
ayant été recuit autrefois, subit une
altération due à l'action des
rayonnements émis par les isotopes
radioactifs qu'il contient. Les
émissions lumineuses apparaissent à
une température bien définie (350 °C
pour les terres cuites). Il suffit de
mesurer avec précision la quantité de
lumière pour connaître l'âge, car cette
quantité est proportionnelle au flux de
radiations intégrées par le matériau au
cours du temps. Il faut faire un

thermoluminescent dating (cont'd)

the sample per unit time in the past is measured.

étalonnage du matériau après recuit, par un flux de rayonnement artificiel connu, pour connaître la quantité spécifique de lumière qu'il émet. En outre, il faut mesurer la quantité d'isotopes radioactifs présents dans le matériau pour connaître le flux auquel il a été soumis par unité de temps.

thermoremanent magnetization; thermoremanence; TRM

Remanent magnetization acquired as a rock cools in a magnetic field from above the Curie point down to room temperature. It is very stable and is exactly parallel to the ambient field at the time of cooling.

aimantation thermorémanente; ATR

Aimantation rémanente acquise lors du refroidissement d'une roche chauffée à la température de Curie. Lorsqu'elle se refroidit, la roche s'aimante en fonction de l'orientation du champ magnétique dans lequel elle est placée, et conserve ensuite cette orientation.

threshold
SEE **riegel**

thrust

chevauchement

thrust moraine; ice-thrust moraine

moraine de chevauchement

tidewater glacier; tidal glacier
A glacier that terminates in the sea, where it usually ends in an ice cliff from which icebergs are discharged.

glacier de marée
Glacier se terminant dans la mer, généralement sous forme d'une falaise de glace d'où se détachent des icebergs.

till
Unstratified drift, deposited directly by a glacier without reworking by meltwater, and consisting of a mixture of clay-, silt-, sand-, pebble-, and boulder-sized particles ranging widely in shape.

till
Mélange de débris rocheux dépourvu de litage interne, déposé directement par la glace sans qu'il y ait eu intervention majeure des eaux de fonte.
NOTA Le terme « argile à blocaux » employé autrefois dans la littérature est la traduction littérale du terme anglais *boulder clay*. Ce dernier a été abandonné à cause de sa trop grande spécificité.

tillite

tillite

till plain
An extensive area, with a flat to undulating surface, underlain by till.

plaine de till
Vaste territoire recouvert d'une moraine de fond qui montre un relief de faible amplitude.

till sheet
A sheet, layer, or bed of till, without reference to its topographic expression. It may form a ground moraine.

nappe de till
Nappe ou couche de till, sans référence à sa forme topographique. Elle peut former une moraine de fond.

tilted

basculé

topset bed; topset

lit sommital; lit de sommet

tor

tor

torso mountain; monadnock

monadnock

total-rock age
SEE **whole-rock age**

tractive current; traction current

courant tractif; courant de traction

train

trainée; alignement

transection glacier
A glacier that fills an entire valley system, concealing most of the divides between the valleys.

glacier transversal; glacier transfluent
Glacier occupant un ensemble de vallées, et dissimulant les lignes de partage de ces vallées.

translational landslide

glissement plan

tree line

limite supérieure des arbres

tree pollen; AP; arborescent pollen

pollen d'arbres

tree-ring chronology; dendrochronology

dendrochronologie

trimline
SEE **shoulder**

TRM
SEE **thermoremanent magnetization**

trough valley; U-shaped valley; U-valley

vallée en auge; vallée en U

truncated surface	surface tronquée
truncation	troncature
tunnel valley	vallée tunnel
turbidity current	courant de turbidité
type area; type region	région type
type fossil SEE index fossil	
type locality	localité type
type region; type area	région type
type section	stratotype

unconsolidated	meuble; non consolidé
unconsolidated deposit	dépôt meuble; dépôt non consolidé
undercutting SEE sapping	
undermining SEE sapping	
undisturbed	non remanié
unstratified	non stratifié
upsetted moraine SEE ice-push moraine	
uranium-series disequilibrium dating	datation par le déséquilibre radioactif dans les familles de l'uranium
U-shaped valley; U-valley; trough valley	vallée en U; vallée en auge

valley glacier	**glacier de vallée**
valley-head cirque	**cirque de bout de vallée**
valley-loop moraine SEE **loop moraine**	
valley-side moraine SEE **lateral moraine**	
valley train; outwash train	**traînée fluvioglaciaire**

varve

A sedimentary bed or lamina or sequence of laminae deposited in a body of still water within one year's time; specifically a thin pair of graded glaciolacustrine layers seasonally deposited, usually by meltwater streams, in a glacial lake or other body of still water in front of a glacier.

varve

Feuillet sédimentaire habituellement déposé dans un lac proglaciaire. Selon la saison pendant laquelle elles sont déposées, les varves sont constituées de matériaux sombres, fins, et argileux en automne, ou clairs, grossiers, et sableux au printemps. Les paires de varves ont été associées à un cycle de la durée d'un an, et utilisées pour dater certaines formations du Pléistocène.

NOTA S'emploie surtout au pluriel.

varve chronology	**chronologie varvaire**
varved clay NOTE "Varve clay" is sometimes used as a synonym.	**argile varvée; argile à varves**
varve diagram	**diagramme varvaire**
varve sequence	**séquence varvaire; séquence de varves**
varve year	**année varvaire**
veneer	**placage; placage de sédiments**
ventifact	**ventifact; caillou éolisé**

vertical erosion; downcutting	érosion verticale; érosion linéaire

warm-based glacier	glacier à base tempérée
warm freezing ice	glace tempérée en regel
warm glacier SEE temperate glacier	
warm ice	glace tempérée
warm melting ice	glace tempérée en fusion
washing	délavage; lavage
wash plain SEE outwash plain	
wash slope; basal slope	versant colluvial
wastage SEE ablation	

weathering
Physical disintegration and chemical decomposition of earthy and rocky materials on exposure to atmospheric agents at or near the Earth's surface. Most weathering occurs at the surface, but it may take place at considerable depths.

altération
Processus géologique de transformation causé par l'action chimique et physique des agents atmosphériques sur la roche, au niveau ou près de la surface de la lithosphère.

wedge stria   **strie en coin**

wet-based glacier   **glacier à base humide**

whole-rock age; total-rock age
Age determined by the examination of a portion of rock rather than individual minerals. A calculated age for the whole rock would give the apparent age of formation whereas the individual minerals might give discordant ages.

âge de la roche totale
Âge calculé à partir d'un fragment de roche plutôt qu'à partir d'un constituant minéral particulier. La roche totale donne l'âge apparent de la formation, tandis que deux minéraux de la même roche peuvent donner deux âges différents.

Wisconsin
SEE **Wisconsinan** (n.)

Wisconsinan (n.); **Wisconsinan
Glacial Stage**

The classical fourth glacial stage
(and the last definitely ascertained,
although there appear to be others)
of the Pleistocene Epoch in North
America, after the Sangamonian
Interglacial Stage and before the
Holocene.

NOTE In the Alps, the fourth glacial
stage is called Würm.

"Wisconsin" and "Wisconsinian"
are alternative spellings sometimes
used.

Wisconsinan (adj.)

Wisconsinan Glacial Stage
SEE **Wisconsinan** (n.)

Wisconsinan Glaciation

Wisconsinian
SEE **Wisconsinan** (n.)

Würm
SEE **Wisconsinan** (n.)

Wisconsinien (n.)

En Amérique du Nord, quatrième et
dernier étage glaciaire reconnu du
Pléistocène, succédant à
l'Interglaciaire sangamonien et
précédant l'Holocène. Sa limite
supérieure à été fixée à 10 ka.

NOTA Dans les Alpes, l'équivalent du
Wisconsinien est le Würm.

wisconsinien (adj.)

**Glaciation du Wisconsin; Glaciation
wisconsinienne**

X

xerothermic   xérothermique

Yarmouthian (n.); **Yarmouthian Interglacial Stage**
The classical second interglacial stage of the Pleistocene Epoch in North America, after the Kansan Glacial Stage and before the Illinoian.
NOTE In the Alps, the second interglacial stage is called Mindel-Riss.

Yarmouth (adj.); **Yartmouthian** (adj.)

Yarmouthian Interglacial Stage
SEE **Yarmouthian** (n.)

Yarmouthien (n.); **Interglaciaire yarmouthien**
En Amérique du Nord, second interglaciaire du Pléistocène, succédant au Kansanien et précédant l'Illinoien.
NOTA Dans les Alpes, l'équivalent du Yarmouthien est le Mindel-Riss.

yarmouthien (adj.)

zastrugi; sastrugi

zonal guide fossil; zone fossil
A guide fossil that makes possible the identification of a specific biostratigraphic zone and that gives its name to the zone. It need not necessarily be either restricted to the zone or found throughout every part of it.

zone of accumulation
SEE **accumulation area**

sastrugi

fossile caractéristique de zone
Fossile permettant d'identifier une zone biostratigraphique donnée et d'après lequel cette zone est nommée. Ce fossile ne se limite pas nécessairement à la zone, ou n'existe pas nécessairement dans toutes les parties de la zone.

ablation	ablation; wastage
abrasion	abrasion
accumulation alluviale; remplissage alluvial	alluvial fill
action glaciaire	glacial action
activité de la glace	ice activity
affleurement	outcrop
affouillement glaciaire	glacial scour; scouring
Aftonien (n.); Interglaciaire aftonien	Aftonian (n.); Aftonian Interglacial Stage
aftonien (adj.)	Aftonian (adj.)
âge absolu	absolute age
âge ^{14}C; âge carbone 14; âge radiocarbone	^{14}C age; carbon-14 age; radiocarbon age
âge de la roche totale	whole-rock age; total-rock age
âge isotopique; âge radiométrique	isotopic age; radiometric age
âge non significatif	infinite age
âge radiocarbone; âge ^{14}C; âge carbone 14	radiocarbon age; ^{14}C age; carbon-14 age
âge radiométrique; âge isotopique	radiometric age; isotopic age
âge significatif	finite age
aiguille glaciaire; aiguille pyramidale	horn; cirque mountain; pyramidal peak
aimantation rémanente	remanent magnetization

aimantation rémanente de dépôt	depositional remanent magnetization; detrital remanent magnetization; DRM
aimantation rémanente naturelle	natural remanent magnetization; natural remanent magnetism; NRM
aimantation thermorémanente; ATR	thermoremanent magnetization; thermoremanence; TRM
alignement; trainée	train
alluvial	alluvial (1)
alluvion	alluvium; alluvial deposit
alluvionnaire	alluvial (2)
altération	weathering
altération différentielle	differential weathering; selective weathering
altiplanation	altiplanation
amaigrissement	downwasting
American Quaternary Association; AMQUA	American Quaternary Association; AMQUA
anaglaciaire (n.m.); phase anaglaciaire	anaglacial (n.); anaglacial phase
anaglaciaire (adj.)	anaglacial (adj.)
analyse mécanique	mechanical analysis
analyse pollinique	pollen analysis
année budgétaire	balance year; budget year
année varvaire	varve year
apport	influx; inflow
AQQUA; Association québécoise pour l'étude du Quaternaire	AQQUA; Association québécoise pour l'étude du Quaternaire
arc morainique	loop moraine; valley-loop moraine; moraine loop

avulsion

French	English
arête découpée; arête dentelée; arête en dents de scie	comb ridge
argile à blocaux	boulder clay
argile à varves; argile varvée	varved clay
argile remaniée	reworked clay
argile varvée; argile à varves	varved clay
arrachement glaciaire; délogement glaciaire; débitage glaciaire	plucking; quarrying
ASL; d'altitude; au-dessus du niveau de la mer	above sea level; ASL
assemblage pollinique	pollen assemblage
Association canadienne pour l'étude du Quaternaire; CANQUA	Canadian Quaternary Association; CANQUA
Association québécoise pour l'étude du Quaternaire; AQQUA	Association québécoise pour l'étude du Quaternaire; AQQUA
ATR; aimantation thermorémanente	thermoremanent magnetization; thermoremanence; TRM
au-dessus du niveau de la mer; ASL; d'altitude	above sea level; ASL
aufeis	aufeis
auge glaciaire	glacial trough
autocatalyse glaciaire	glacial self-regulation
avalanche de débris	debris avalanche
avalanche de glace	ice avalanche
avancée glaciaire (1)	glacial advance (1)
avancée glaciaire (2)	glacial advance (2); glacier advance
avant le présent VOIR BP	
avulsion	avulsion

B

baie de vêlage	calving bay
bande boueuse; bande sale	dirt band
bande magnétique	magnetic lineation; magnetic stripe
bande sale; bande boueuse	dirt band
banquise	fast ice
barrage de glace; barrage glaciaire	ice dam; ice barrier
barrage de sédiments glaciaires	drift dam
barrage glaciaire; barrage de glace	ice dam; ice barrier
barrage morainique	morainal dam
basculé	tilted
basculement rocheux	rock topple
bassin de décantation	quiet-water basin
bassin de drainage; bassin hydrographique; bassin versant	drainage basin; catchment area; hydrographic basin
bassin de surcreusement; bassin de vallée glaciaire; ombilic glaciaire	glacial basin; glacial rock basin
bassin hydrographique; bassin versant; bassin de drainage	drainage basin; catchment area; hydrographic basin
bilan de masse; bilan massique	mass balance; mass budget
bilan glaciologique	glacial budget
bilan massique; bilan de masse	mass balance; mass budget
bloc	boulder
bloc à facettes	faceted boulder; facetted boulder
bloc de délestage; bloc délesté	dropstone

bloc erratique cf. erratique	erratic block; erratic boulder
bloc glaciaire	glacial boulder
bloc indicateur; roche indicatrice	indicator stone
bloc minéralisé	mineralized boulder
bloc perché	perched block; perched boulder; perched rock; balanced rock; pedestal rock
boue glaciaire	glacial silt; glacial mud
bourrelet de poussée glaciaire; crête de poussée glaciaire	ice-pushed ridge
bourrelet lacustre	lake rampart; ice-push ridge; ice-thrust ridge (1)
bourrelet périphérique	bulge
BP	before present; BP
brouture	chattermark
brouture concave	concave chattermark
brouture conchoïdale	conchoidal chattermark
brouture convexe	convex chattermark

caillou	pebble
caillou à facettes	faceted pebble; facetted pebble
caillou éolisé; ventifact	ventifact
calotte glaciaire	ice cap; glacier cap
cannelure glaciaire	glacial groove

CANQUA; Association canadienne pour l'étude du Quaternaire	CANQUA; Canadian Quaternary Association
canyon glaciaire	glacial canyon
carbone contemporain	contemporary carbon; modern carbon
carbone inerte; carbone mort	dead carbon
ceinture morainique	morainal belt
centre de dispersion glaciaire	ice-dispersion centre
champ de blocs (1); champ de pierres	block field; stone field
champ de blocs (2); plage de blocs	boulder field
champ de drumlins	drumlin field
champ de glace	ice field; icefield
champ de pierres; champ de blocs (1)	block field; stone field
charge détritique; matériel détritique	detritus
charge glaciaire	glacial loading
charge sédimentaire (d'un glacier)	load [glaciol.]
charriage	overthrust
chaudière; marmite de géant (2)	plunge basin; plunge pool
chenal d'eau de fonte	meltwater channel
chenal marginal	marginal channel
chevauchement	thrust
chevauchement glaciaire	ice thrust
chrone polaire	polarity chron; polarity epoch
Chrone polaire inverse de Matuyama; époque inverse de Matuyama	Matuyama Reverse Polarity Chron; Matuyama Reverse Polarity Epoch
Chrone polaire normal de Brunhes; époque normale de Brunhes	Brunhes Normal Polarity Chron; Brunhes Normal Polarity Epoch
Chrone polaire normal de Gauss; époque normale de Gauss	Gauss Normal Polarity Chron; Gauss Normal Polarity Epoch

chronologie varvaire	varve chronology
chronozone polaire	polarity chronozone; polarity interval
chute de glace	ice fall
cicatrice en croissant; marque en croissant; marque d'arrachement; cupule d'arrachement	crescentic mark; lunate mark; crescentic scar
cicatrice en croissant inversée	reverse crescentic scar
cirque	cirque
cirque de bout de vallée	valley-head cirque
cirque de nivation	nivation cirque
classification climatique; classification des climats	climate classification
clouure; strie en tête de clou	nailhead striation; nailhead scratch
coefficient d'activité	activity index
col de diffluence	diffluence pass
colline conique	conical hill; knob
compensation isostatique; rajustement isostatique	isostatic compensation; isostatic adjustment
complexe morainique	moraine complex; moraine system
cône alluvial	alluvial fan; detrital fan
cône couvert; cône de boue	dirt cone
cône d'éboulis	talus fan
cône de débris	debris cone (1)
cône de déjection; cône torrentiel	alluvial cone; dejection cone; hemicone; cone of detritus; debris cone (2)
cône de glace; pyramide de glace	ice cone; ice pyramid
cône torrentiel; cône de déjection	alluvial cone; dejection cone; hemicone; cone of detritus; debris cone (2)

confluence glaciaire	glacial confluence
confluent discordant	discordant junction
congélifluxion; gélifluxion	gelifluction; congelifluction
contrainte de cisaillement	shear stress
corrasion	corrasion; mechanical erosion
correction isostatique	isostatic correction
corridor libre de glace	ice-free corridor
corrosion	corrosion; chemical erosion
côté affouillé	scour side
côté débité	pluck side
couche de base	bottom layer
couche de glace basale	basal ice; basal ice layer
couches organiques	organic strata
coulée boueuse; coulée de boue	mudflow
coulée d'argile sensible	quick clay flow
coulée de blocs	rockflow
coulée de boue; coulée boueuse	mudflow
coulée de débris	debris flow
coulée de terre; coulée terreuse	earthflow
coup de gouge	crescentic gouge; gouge mark; gouge; lunoid furrow
coupe de référence	reference section
couplet	couplet
courant de densité	density current
courant de traction; courant tractif	traction current; tractive current
courant de turbidité	turbidity current
courant glaciaire	ice stream

courant tractif; courant de traction	tractive current; traction current
courbe isopollinique (prop.)	isopollen; isopoll
cours d'eau anastomosé	braided stream; anastomosing stream
couverture meuble	overburden
couverture sédimentaire	sedimentary cover
crag-and-tail (n.m.)	crag and tail
crête	ridge
crête de chevauchement	ice-thrust ridge (2)
crête de désagrégation	disintegration ridge; ice-block ridge
crête de plage; levée de plage	beach ridge
crête de poussée glaciaire; bourrelet de poussée glaciaire	ice-pushed ridge
crête de pression glaciaire	ice-pressed ridge; glacial pressure ridge
crête de sédiments glissés	ice-slump ridge
crête de tempête	storm ridge; storm beach; storm terrace
crête dissymétrique	asymmetric ridge
crête en beignet; monticule en beignet	doughnut ridge; doughnut mound
crête fermée	closed ridge
crête linéaire de désagrégation	linear disintegration ridge; linear ice-block ridge
crête marginale	rim ridge
crête morainique	morainal ridge; moraine ridge
croissant de lit majeur	flood-plain scroll; flood scroll
croissant de névé; moraine de névé	protalus rampart
crue glaciaire	glacier surge
cryoconite	cryoconite; kryoconite

cryokarst; thermokarst	cryokarst; thermokarst
cryosphère	cryosphere
cryotectonique; glaciotectonique	cryotectonic; glaciotectonic
cryoturbation; géliturbation	cryoturbation; congeliturbation; geliturbation
cuesta	cuesta
culot de glace (morte)	block of (stagnant) ice
cupule d'arrachement; cicatrice en croissant; marque en croissant; marque d'arrachement	crescentic mark; lunate mark; crescentic scar
cycle glaciaire	glacial cycle

d'altitude; au-dessus du niveau de la mer; ASL	above sea level; ASL
datation (1)	date
datation (2)	dating
datation ^{14}C; datation par le carbone 14; datation par le radiocarbone; radiodatation	^{14}C dating; carbon-14 dating; radiocarbon dating
datation isotopique; datation radiométrique	isotopic age determination; radiometric dating
datation par le carbone 14; datation par le radiocarbone; radiodatation; datation ^{14}C	carbon-14 dating; radiocarbon dating; ^{14}C dating
datation par le déséquilibre radioactif dans les familles de l'uranium	uranium-series disequilibrium dating
datation par le radiocarbone; radiodatation; datation ^{14}C; datation par le carbone 14	radiocarbon dating; carbon-14 dating; ^{14}C dating

datation par les acides aminés	amino-acid racemization age method; racemization age method
datation par thermoluminescence	thermoluminescent dating
datation par traces de fission; méthode de datation par traces de fission	fission-track dating; spontaneous fission-track dating
datation radiométrique; datation isotopique	radiometric dating; isotopic age determination
débitage glaciaire; arrachement glaciaire; délogement glaciaire	plucking; quarrying
débordement	overflow
débris glaciaires	glacial debris
décantation	quiet-water sedimentation
décharge glaciaire	glacial unloading
décrépitude glaciaire; désagrégation glaciaire	ice disintegration
déflation	deflation
déglaciation	deglaciation
dégradation	degradation
délavage; lavage	washing
délogement glaciaire; débitage glaciaire; arrachement glaciaire	plucking; quarrying
delta	delta
delta de kame; delta juxtaglaciaire; delta-kame	kame delta; ice-contact delta
delta d'esker	esker delta
delta juxtaglaciaire; delta-kame; delta de kame	kame delta; ice-contact delta
delta soulevé	raised delta
dendrochronologie	dendrochronology; tree-ring chronology
de notre ère	A.D.

densité apparente	bulk density; apparent density
dénudation	denudation
déplacement latéral	lateral spread
déposition (à éviter) VOIR sédimentation	
dépôt (1)	deposit
dépôt (2); sédimentation	deposition
dépôt de contact glaciaire; sédiment juxtaglaciaire; sédiment de contact glaciaire	ice-contact deposit
dépôt de décantation	quiet-water deposit
dépôt d'épandage criblé; dépôt d'épandage piqué	pitted outwash
dépôt d'épandage fluvioglaciaire	outwash; outwash drift; glacial outwash
dépôt d'épandage piqué; dépôt d'épandage criblé	pitted outwash
dépôt de plaine d'inondation	flood-plain deposit
dépôt en surface; dépôt superficiel	surficial deposit; superficial deposit
dépôt fluvioglaciaire; sédiments fluvioglaciaires; fluvioglaciaire (n.m.)	glaciofluvial drift; fluvioglacial drift; glaciofluvial deposit; fluvioglacial deposit
dépôt frontal	ice-front deposit
dépôt glaciaire; sédiments glaciaires (2)	glacial deposit; glacial drift
dépôt glaciogénique; glaciogène	glaciogenic deposit; glacigenic deposit
dépôt lacustre	lake deposit
dépôt meuble; dépôt non consolidé	unconsolidated deposit
dépôt morainique	moraine deposit
dépôt non consolidé; dépôt meuble	unconsolidated deposit

dépôt superficiel; dépôt en surface	surficial deposit; superficial deposit
dépression	depression
dépression marginale	fosse
dépression périphérique; enfoncement périphérique	bulge collapse
désagrégation glaciaire; décrépitude glaciaire	ice disintegration
désintégration radioactive	radioactive decay; radioactive disintegration
déversoir de lac glaciaire; exutoire de lac glaciaire	glacial spillway; overflow channel
diagramme pollinique	pollen diagram
diagramme varvaire	varve diagram
diamictique	diamictic
diamicton	diamicton
diffluence glaciaire	glacial diffluence
diffluent	defluent
direction de l'écoulement glaciaire	ice-flow direction
dispersion glaciaire	glacial dispersal
dissolution	solution; dissolution
doline	sinkhole; doline; shakehole
dôme	dome
dôme de glace; dôme glaciaire	ice dome
données indirectes	proxy data
dos d'âne	horseback; hogback; boar's back
drainage endoréique; écoulement endoréique	internal drainage; closed drainage; inland drainage; endorheism (2)
drainage exoréique; écoulement exoréique	external drainage; exorheism (2)

drift
VOIR sédiments glaciaires

drumlin	drumlin
drumlinoïde (n.)	drumlinoid ridge; drumlinoid (n.)
drumlinoïde (adj.)	drumlinoid (adj.)
drumlin rocheux	rock drumlin; false drumlin

E

eau atmosphérique	atmospheric water
eau de fonte	meltwater
eau de percolation	percolating water
eau de pluie; eau météorique	meteoric water
éboulement	rock fall
éboulement catastrophique	rock fall avalanche
écaille glaciotectonique	cryotectonic thrust slice; glaciotectonic thrust slice
échancrure de méandre de plaine d'inondation	flood-plain meander scar
écoulement en compression	compressing flow
écoulement endoréique; drainage endoréique	internal drainage; closed drainage; inland drainage; endorheism (2)
écoulement en extension	extending flow
écoulement exoréique; drainage exoréique	external drainage; exorheism (2)
écoulement glaciaire	glacier flow; ice flow
écoulement gravitaire	gravity flow
écoulement laminaire	laminar flow

écoulement par gravité VOIR écoulement gravitaire	
écoulement plastique	plastic flow
émersion	emergence
émissaire; exutoire	outlet; outflow
émoussé	roundness
encaissement	entrenchment; intrenchment
encoche littorale soulevée	raised shoreline notch
endoréisme	endorheism (1)
enfoncement périphérique; dépression périphérique	bulge collapse
englacé	ice-covered; glacier-covered
englaciation	glaciation (2); glacierization
ennoiement; ennoyage	drowning
ensellement	saddle
épandage subaquatique	subaqueous outwash; subwash
épaulement	shoulder; trimline
épimérisation	epimerization
époque glaciaire	glacial epoch
époque inverse de Matuyama; Chrone polaire inverse de Matuyama	Matuyama Reverse Polarity Chron; Matuyama Reverse Polarity Epoch
époque normale de Brunhes; Chrone polaire normal de Brunhes	Brunhes Normal Polarity Chron; Brunhes Normal Polarity Epoch
époque normale de Gauss; Chrone polaire normal de Gauss	Gauss Normal Polarity Chron; Gauss Normal Polarity Epoch
érosion aréolaire	areal erosion
érosion différentielle	differential erosion
érosion fluviale	fluvial erosion
érosion glaciaire	glacial erosion

érosion latérale	lateral erosion
érosion linéaire; érosion verticale	vertical erosion; downcutting
érosion thermique	thermal erosion
érosion verticale; érosion linéaire	vertical erosion; downcutting
erratique (n.m.)	erratic; glacial erratic
escalier de cirques	cirque stairway; cirque steps
esker	esker
esker en chapelet; esker perlé	beaded esker
étage glaciaire	glacial stage
étage interglaciaire; interglaciaire (n.)	interglacial stage; interglacial (n.)
étage x de la stratigraphie isotopique de l'oxygène	oxygen isotope stage x
eustasie; eustatisme	eustasy; eustatism
événement glaciaire	glacial event
événement polaire; sous-chrone polaire	polarity event; polarity subchron; geomagnetic polarity event
excavation; sapement	sapping; cliff erosion; undermining; undercutting
excursion polaire	polarity excursion
exoréisme	exorheism (1)
extramorainique	extramorainal; extramorainic
exutoire; émissaire	outlet; outflow
exutoire de lac glaciaire; déversoir de lac glaciaire	glacial spillway; overflow channel

face amont	stoss side
face aval	lee side
falaise morte	abandoned cliff
farine glaciaire	glacial flour
faune de climat froid; faune froide	cold fauna
felsenmeer	felsenmeer
fente de glace	ice wedge; ground-ice wedge
fente de glace fossile	fossil ice wedge; ice-wedge pseudomorph; ice-wedge cast; ice-wedge fill
figure de courant; marque de courant	current mark
fjeld; fjell	fjeld; fjell
fjord	fjord
fluvioglaciaire (n.m.); dépôt fluvioglaciaire; sédiments fluvioglaciaires	glaciofluvial drift; fluvioglacial drift; glaciofluvial deposit; fluvioglacial deposit
fluvioglaciaire (adj.)	glaciofluvial; fluvioglacial
foliation	foliation
fond de cirque; plancher de cirque	cirque floor
förde	forde; föhrde
forme d'accumulation; relief d'accumulation	constructional landform
forme de dissolution; structure de dissolution	solution form; solution feature
forme d'érosion; modelé d'érosion; relief d'érosion	destructional landform

forme ───

forme du relief; relief	landform; relief feature
forme profilée	streamlined form
formes dissymétriques; topographie en formes dissymétriques	stoss-and-lee topography; stoss-and-lee features
fossile caractéristique	characteristic fossil; diagnostic fossil
fossile caractéristique de zone	zonal guide fossil; zone fossil
fossile marqueur; fossile repère	guide fossil
fossile remanié	derived fossil
fossile repère; fossile marqueur	guide fossil
fossile stratigraphique	index fossil; key fossil
fossilifère	fossil-bearing; fossiliferous
fractionnement isotopique	isotopic fractionation; isotope fractionation
fracture de broutage	crescentic fracture; crescentic crack
fracture de broutage inversée	reverse crescentic fracture
front de delta	delta front
front de glacier; front glaciaire	glacial front; glacial snout; terminus; ice front
front glaciaire en recul; front glaciaire en retrait	retreating ice front

G

galet	cobble
galet de plage	shingle
gélifluxion; congélifluxion	gelifluction; congelifluction
gélitectonique VOIR glaciotectonique	

géliturbation; cryoturbation	geliturbation; cryoturbation; congeliturbation
géochronomètre	geochronometer
géosol	geosol
givre de profondeur; neige granulée de profondeur; givre interne	depth hoar
glace aciculaire	acicular ice
glace ancrée	grounded ice; stranded ice
glace bleue	blue ice
glace columnaire	columnar ice
glace de dérive	drift ice
glace de ségrégation	segregation ice
glace de sol	ground ice
glace fibreuse	fibrous ice
glace flottante	floating ice
glace fossile	fossil ice
glace froide	cold ice
glace morte; glace stagnante	dead ice; stagnant ice
glace noire	black ice
glace stagnante; glace morte	stagnant ice; dead ice
glace tempérée	warm ice
glace tempérée en fusion	warm melting ice
glace tempérée en regel	warm freezing ice
glaciaquatique; glacio-aquatique	glacioaqueous; aqueoglacial
glaciation	glaciation (1)
Glaciation du Wisconsin; Glaciation wisconsinienne	Wisconsinan Glaciation
Glaciation illinoienne	Illinoian Glaciation

Glaciation kansanienne	Kansan Glaciation
Glaciation nébraskienne	Nebraskan Glaciation
Glaciation wisconsinienne; Glaciation du Wisconsin	Wisconsinan Glaciation
glacier à base froide	cold-based glacier
glacier à base humide	wet-based glacier
glacier à base sèche	dry-based glacier
glacier à base tempérée	warm-based glacier
glacier actif (1)	active glacier (1)
glacier actif (2)	active glacier (2)
glacier alaskien; glacier de type alaskien	Alaskan glacier; alaskan-type glacier
glacier alpin; glacier de type alpin	alpine glacier; alpine-type glacier
glacier continental	continental glacier
glacier de cirque	cirque glacier
glacier de décharge; glacier émissaire; glacier effluent	outlet glacier
glacier de marée	tidewater glacier; tidal glacier
glacier de montagne	mountain glacier
glacier de paroi	cliff glacier
glacier de piémont	piedmont glacier
glacier de type alaskien; glacier alaskien	alaskan-type glacier; Alaskan glacier
glacier de type alpin; glacier alpin	alpine-type glacier; alpine glacier
glacier de vallée	valley glacier
glacier de vallée composite	compound valley glacier
glacier effluent; glacier de décharge; glacier émissaire	outlet glacier
glacier en crue	surging glacier

glacier enfoui	buried glacier
glacier froid; glacier polaire	cold glacier; polar glacier
glacier inactif; glacier mort	stagnant glacier; dead glacier
glacier passif	passive glacier
glacier polaire; glacier froid	polar glacier; cold glacier
glacier rocheux	rock glacier
glacier suspendu	hanging glacier
glacier tempéré	temperate glacier; warm glacier
glacier transfluent; glacier transversal	transection glacier
glacio-aquatique; glaciaquatique	glacioaqueous; aqueoglacial
glacio-eustasie; glacio-eustatisme	glacio-eustasy; glacio-eustatism
glaciogène; dépôt glaciogénique	glaciogenic deposit; glacigenic deposit
glacio-isostasie	glacio-isostasy
glaciolacustre	glaciolacustrine
glaciomarin	glaciomarine; glacial-marine
glaciotectonique; cryotectonique	glaciotectonic; cryotectonic
glacitectonique VOIR glaciotectonique	
glissement banc sur banc	rock block slide
glissement basal	basal sliding; basal slip
glissement de débris	debris slide
glissement de terrain	landslide; landslip
glissement en bloc	block glide
glissement par cavitation	slippage over a water layer
glissement par fusion sous pression	pressure melting sliding
glissement par liquéfaction	liquefaction slide; flow slide

glissement par plasticité	enhanced basal creep
glissement pelliculaire	skin flow
glissement plan	translational landslide
glissement régressif; glissement rétrogressif	retrogressive slipping
glissement rocheux	rock slide; rock slip
glissement rotationnel	rotational landslide
gradin de confluence	confluence step
gradin de diffluence	diffluence step
grain de pollen	pollen grain
gravier de terrasse	bench gravel

Günz
VOIR Nébraskien (n.)

Günz-Mindel
VOIR Aftonien (n.)

halte glaciaire	glacial stillstand
Holocène	Holocene; Recent
homotaxie	homotaxia; homotaxy
horizon d'inversion polaire	polarity-change horizon; polarity-reversal horizon
horizon organique	organic horizon

I

iceberg	iceberg
Illinoien (n.)	Illinoian; Illinoian Glacial Stage
illinoien (adj.)	Illinoian (adj.)
indice d'écoulement glaciaire; marque d'écoulement glaciaire	ice-flow indicator
infraglaciaire; sous-glaciaire	infraglacial; subglacial
inlandsis	continental ice sheet
Inlandsis de la Cordillère	Cordilleran Ice Sheet
Inlandsis laurentidien	Laurentide Ice Sheet
INQUA; Union internationale pour l'étude du Quaternaire	INQUA; International Union for Quaternary Research
interfluve	interfluve
interglaciaire (n.); étage interglaciaire	interglacial (n.); interglacial stage
interglaciaire (adj.)	interglacial (adj.)
Interglaciaire aftonien; Aftonien (n.)	Aftonian (n.); Aftonian Interglacial Stage
Interglaciaire sangamonien; Sangamonien (n.)	Sangamon; Sangamonian (n.); Sangamonian Interglacial Stage
Interglaciaire yarmouthien; Yarmouthien (n.)	Yarmouthian (n.); Yarmouthian Interglacial Stage
interlobaire	interlobate
intermontagnard; intermontagneux	intermontane
intermorainique	intermorainal; intermorainic
interprétation photographique; photo-interprétation	photographic interpretation; photointerpretation

115

interstade; interstadiaire (n.)

interstade; interstadial (n.)

interstratifié

interbedded; interstratified

intertill (adj.) (inv.)

intertill (adj.)

intervalle glaciaire

glacial interval

intraglaciaire

englacial; intraglacial

intramorainique

intramorainal; intramorainic

invasion marine; transgression marine

marine invasion; marine transgression

isobase (n.f.)

isobase

isostasie

isostasy

K

ka

ka

kame

kame

kame de moulin

moulin kame

Kansanien (n.)

Kansan (n.); Kansan Glacial Stage

kansanien (adj.)

Kansan (adj.)

karst à dolines

sinkhole karst

karstification

karstification

kettle

kettle; kettle hole; kettle basin

L

lac de barrage

barrier lake

lac de barrage glaciaire	glacier lake; ice-dammed lake; ice-barrier lake
lac de barrage morainique	morainal-dam lake; drift-barrier lake
lac de cirque	cirque lake
lac de front glaciaire; lac proglaciaire	proglacial lake; ice-marginal lake
lac de kettle	kettle lake; kettle-hole lake
lac de piémont	piedmont lake
lac d'ombilic glaciaire	rock-basin lake
lac en chapelet; lac glaciaire en gradins	paternoster lake
lac glaciaire	glacial lake
lac glaciaire en gradins; lac en chapelet	paternoster lake
lac marginal	marginal lake
lac morainique	morainal lake
lac perché	perched lake
lac pluvial	pluvial lake
lac postglaciaire	postglacial lake
lac proglaciaire; lac de front glaciaire	proglacial lake; ice-marginal lake
lacustre	lacustrine; lacustral; lacustrian
lambeau d'érosion	erosion remnant
lamination	lamination (1)
lamine	lamina; lamination (2)
landes	barrens
langue glaciaire	glacier tongue
lavage; délavage	washing
lentille de glace	ice lens
levée de plage; crête de plage	beach ridge

libre de glace; non englacé	ice-free
lichénométrie	lichenometry
ligne d'écoulement	stream line
ligne de névé	firn line; firn limit
ligne de partage glaciaire	ice divide
ligne d'équilibre; ligne d'équilibre glaciaire	equilibrium line; equilibrium limit
ligne de rivage; littoral	shoreline; strandline
ligne de rivage initiale	initial shoreline
limite climatique des neiges permanentes; limite climatique des neiges persistantes	climatic snowline
limite des neiges permanentes; limite des neiges persistantes	snowline
limite de submersion	limit of submergence
limite marine	marine limit
limite maximale de retrait; minimum glaciaire (2)	glacial minimum (2)
limite supérieure des arbres	tree line
limon VOIR silt	
liquéfaction	liquefaction
litage	bedding
lit basal; lit de fond	bottomset bed; bottomset
lit de glacier	glacier bed
lit de sommet; lit sommital	topset bed; topset
lité	bedded
lit frontal	foreset bed; foreset
lit sommital; lit de sommet	topset bed; topset

littoral (n.); ligne de rivage	shoreline; strandline
littoral (adj.)	littoral
lobe de solifluxion	solifluction lobe; solifluction tongue
lobe glaciaire	glacial lobe
localité type	type locality
loessique	loessal; loessial
loess périglaciaire	cold loess
lysocline	lysocline

Ma	Ma
macrorestes	macroremains
malacologie	malacology
marais	marsh
marécage	swamp
marge glaciaire	ice margin; glacial margin
marmite de géant (1)	giant's kettle; moulin pothole; glacial pothole; giant's cauldron
marmite de géant (2); chaudière	plunge basin; plunge pool
marmite torrentielle	pothole; evorsion hollow; rock mill
marque d'arrachement; cupule d'arrachement; cicatrice en croissant; marque en croissant	crescentic mark; lunate mark; crescentic scar
marque de choc; marque de percussion	percussion scar; percussion mark
marque d'écoulement glaciaire; indice d'écoulement glaciaire	ice-flow indicator

marque de courant; figure de courant	current mark
marque de percussion; marque de choc	percussion scar; percussion mark
marque en croissant; marque d'arrachement; cupule d'arrachement; cicatrice en croissant	crescentic mark; lunate mark; crescentic scar
matériaux de transport glaciaire; sédiments glaciaires (1)	drift
matériel détritique; charge détritique	detritus
maximum glaciaire	glacial maximum (2)
méandre abandonné; méandre mort; méandre délaissé	oxbow
méandre encaissé	intrenched meander; entrenched meander; incised meander; inclosed meander
méandre hérité; méandre imprimé	inherited meander
méandre mort; méandre délaissé; méandre abandonné	oxbow
méandre sculpté	ingrown meander
mer postglaciaire	postglacial sea
méthode de datation par traces de fission; datation par traces de fission	fission-track dating; spontaneous fission-track dating
meuble; non consolidé	unconsolidated
Mindel VOIR Kansanien (n.)	
Mindel-Riss VOIR Yarmouthien (n.)	
minimum glaciaire (1)	glacial minimum (1)
minimum glaciaire (2); limite maximale de retrait	glacial minimum (2)
mode de déglaciation; mode de retrait glaciaire	deglaciation pattern; pattern of ice retreat
modèle à dômes multiples	multiple-dome model

modèle à dôme unique	single-dome model
modelé d'érosion; relief d'érosion; forme d'érosion	destructional landform
mollisol	active layer; mollisol
monadnock	monadnock; torso mountain
monolithe	monolith
monticule en beignet; crête en beignet	doughnut mound; doughnut ridge
moraine	moraine
moraine à kettles	kettle moraine
moraine bordière; moraine marginale	border moraine; marginal moraine
moraine bosselée	hummocky moraine
moraine cannelée	fluted moraine
moraine côtelée; moraine de Rogen	ribbed moraine; Rogen moraine
moraine d'ablation	ablation moraine
moraine de chevauchement	ice-thrust moraine; thrust moraine
moraine de cisaillement	shear moraine
moraine de décrépitude VOIR moraine de désagrégation	
moraine de De Geer	De Geer moraine
moraine de désagrégation	dead-ice moraine; disintegration moraine; stagnation moraine
moraine de désancrage	lift-off moraine
moraine de fond	ground moraine; bottom moraine
moraine de fond ondulée; moraine ondulée	corrugated ground moraine; corrugated moraine
moraine de glace morte VOIR moraine de désagrégation	
moraine de kame	kame moraine
moraine de limite d'ancrage	grounding line moraine

moraine de névé; croissant de névé	protalus rampart
moraine de poussée	ice-push moraine; shoved moraine; push-ridge moraine; upsetted moraine; push moraine
moraine de retrait	recessional moraine; retreatal moraine
moraine de Rogen; moraine côtelée	Rogen moraine; ribbed moraine
moraine de stagnation VOIR moraine de désagrégation	
moraine déposée	deposited moraine
moraine en mouvement; moraine mouvante	moraine in transit; moving moraine; carried moraine
moraine externe	outer moraine
moraine frontale (1)	end moraine; frontal moraine (1)
moraine frontale (2); vallum morainique	frontal moraine (2)
moraine frontale de délestage	dump moraine
moraine interlobaire	interlobate moraine
moraine interne	inner moraine
moraine latérale	lateral moraine; side moraine; valley-side moraine; flanking moraine
moraine marginale; moraine bordière	marginal moraine; border moraine
moraine médiane	median moraine; medial moraine
moraine mouvante; moraine en mouvement	moraine in transit; moving moraine; carried moraine
moraine ondulée; moraine de fond ondulée	corrugated moraine; corrugated ground moraine
moraine stadiaire	stadial moraine
moraine submarginale	lodge moraine; submarginal moraine
moraine superficielle	surficial moraine; superficial moraine

moraine terminale	terminal moraine
moraine transversale de vallée	cross-valley moraine
morainique	morainal; morainic
mort-terrain VOIR couverture meuble	
moulin; moulin glaciaire	moulin; glacier mill; glacial mill; glacier pothole; glacier well
mouvement de masse; mouvement de terrain	mass movement
mur de débitage	quarried wall
mur de rimaye	headwall; backwall

N

nappe de till	till sheet
nappe glaciaire	ice sheet
Nébraskien (n.)	Nebraskan (n.); Nebraskan Glacial Stage
nébraskien (adj.)	Nebraskan (adj.)
neige granulée de profondeur; givre interne; givre de profondeur	depth hoar
névé	firn field; firn basin; névé
nez rocheux	crag
niche d'arrachement; niche de décollement	landslide scar
niche de nivation	nivation hollow; snow niche
niveau de cirque	cirque niveau; cirque floor level
niveau de référence; plan de référence	datum level

123

niveau eustatique	eustatic level
niveau géodésique de référence; niveau moyen de la mer	mean sea level; geodetic sea level; MSL
non consolidé; meuble	unconsolidated
non englacé; libre de glace	ice-free
non remanié	undisturbed
non stratifié	unstratified
nunatak	nunatak

ombilic glaciaire; bassin de surcreusement; bassin de vallée glaciaire	glacial basin; glacial rock basin
optimum climatique	climatic optimum; thermal optimum; thermal maximum
oxbow VOIR méandre délaissé	

P

paléoclimat	paleoclimate; geologic climate
paléomagnétisme	paleomagnetism
paléosol	paleosol
palse	palsa
palustre	palustrine
pavage de blocs	boulder pavement

paysage d'effondrement; relief d'effondrement	collapse landform
pénéplaine	peneplain
pénéplanation	peneplanation
pénitent	penitent; nieve penitente
pente d'éboulis; tablier d'éboulis	talus slope
pergélisol	permafrost
pergélisolé	permafrosted
périglaciaire	periglacial
périmarin	perimarine
période d'ablation	ablation season
période d'accumulation	accumulation season
période de polarité géomagnétique; superchrone polaire	polarity period; polarity superchron
période glaciaire	glacial period
Petit âge glaciaire	Little Ice Age
phase anaglaciaire; anaglaciaire (n.m.)	anaglacial phase; anaglacial (n.)
phase glaciaire	glacial phase
phase lacustre	lacustrine phase
photo-interprétation; interprétation photographique	photointerpretation; photographic interpretation
pied de glace	icefoot
pied du versant	footslope
piémont	piedmont
pilier de glace	ice pedestal; ice pillar
placage; placage de sédiments	veneer
placage de glace; plancher de glace	ice apron
placage de sédiments; placage	veneer

placer (n.m.)	placer (n.)
plage de blocs; champ de blocs (2)	boulder field
plage soulevée	raised beach
plaine à kettles	kettle plain
plaine alluviale	alluvial plain
plaine d'épandage criblée; plaine d'épandage piquée	pitted outwash plain; pitted plain
plaine d'épandage deltaïque; sandur-delta	deltaic outwash plain; delta outwash plain
plaine d'épandage fluvioglaciaire	outwash plain; frontal plain; wash plain
plaine d'épandage piquée; plaine d'épandage criblée	pitted outwash plain; pitted plain
plaine d'épandage proglaciaire	proglacial outwash plain
plaine de till	till plain
plaine d'inondation; plaine inondable	flood plain; floodplain
plancher de cirque; fond de cirque	cirque floor
plancher de débitage	quarried floor
plancher de glace; placage de glace	ice apron
plan de référence; niveau de référence	datum level
plateau disséqué	dissected plateau
plateau morainique	moraine plateau
plate-forme lacustre	lacustrine platform
Pléistocène (n.)	Pleistocene (n.)
pléistocène (adj.)	Pleistocene (adj.)
pléniglaciaire	glacial maximum (1)
polarité inverse	reversed polarity
polarité normale	normal polarity

poli glaciaire	glacial polish
pollen d'arbres	arborescent pollen; tree pollen; AP
pollen d'herbacées	nonarborescent pollen; nontree pollen; NAP
polygénique	polygenetic; polygenic
pont continental; voie terrestre	land bridge
postglaciaire	postglacial
pourcentage de regel	percentage melt
poussée glaciaire	ice push; ice shove
prodelta	prodelta
prodeltaïque	prodeltaic
profil d'équilibre	equilibrium profile; profile of equilibrium; graded profile
proglaciaire	proglacial
progradation	progradation
prospection glacio-sédimentaire	drift prospecting
provenance; région d'origine	provenance; source area
pyramide de glace; cône de glace	ice pyramid; ice cone

Quaternaire (n.)	Quaternary (n.)
quaternaire (adj.)	Quaternary (adj.)
queue-de-rat	rat-tail; mini-crag and tail

R

racémisation	racemization
radiodatation; datation ^{14}C; datation par le carbone 14; datation par le radiocarbone	^{14}C dating; carbon-14 dating; radiocarbon dating
rainure glaciaire	glacial fluting
rajustement isostatique; compensation isostatique	isostatic adjustment; isostatic compensation
ravin	gully
ravinement	gullying; gully erosion; ravinement
réavancée; récurrence	readvance
Récent VOIR Holocène	
réchauffement climatique	climatic amelioration; climatic warming
recul des falaises	cliff retreat
recul glaciaire VOIR retrait glaciaire	
récurrence; réavancée	readvance
refroidissement climatique	climatic deterioration
régime constant; régime stationnaire	steady state
région d'accumulation; zone d'accumulation	accumulation area; accumulation zone; nourishment area; zone of accumulation
région d'origine; provenance	source area; provenance
région type	type region; type area
régression marine	marine regression

relèvement glacio-isostatique	glacio-isostatic rebound
relèvement isostatique; soulèvement isostatique	isostatic rebound; isostatic uplift
relèvement isostatique différentiel	differential isostatic rebound
relief; forme du relief	landform; relief feature
relief d'accumulation; forme d'accumulation	constructional landform
relief d'effondrement; paysage d'effondrement	collapse landform
relief d'érosion; forme d'érosion; modelé d'érosion	destructional landform
relief morainique	morainal topography
relique (adj.)	relict (adj.); relic (adj.)
remplissage alluvial; accumulation alluviale	alluvial fill
remplissage de crevasse	crevasse filling
replat goletz	goletz terrace
reptation	creep
réseau hydrographique	drainage pattern; drainage network
resédimentation	redeposition
réservoir glaciaire (prop.)	ice-reservoir area
résidu de déflation	lag gravel; lag deposit
résiduel (adj.)	residual (adj.)
retenue; stockage	ponding
réticulé	reticulated
retrait glaciaire	glacial retreat; glacial recession; backwasting
revers de cuesta; versant cataclinal	cuesta backslope
ride de courant	current ripple; current ripple mark; parallel ripple mark

rimaye (n.f.)   bergschrund

Riss
VOIR Illinoien (n.)

Riss-Würm
VOIR Sangamonien (n.)

rivière alluviale   alluvial river

roche en place; substratum rocheux   bedrock

roche indicatrice; bloc indicateur   indicator stone

roche moutonnée   roche moutonnée

rubanement   banding

rythmite   rhythmite; rhythmic unit

S

sandr
VOIR sandur

sandre
VOIR sandur

sandur   sandur

sandur-delta; plaine d'épandage deltaïque   deltaic outwash plain; delta outwash plain

Sangamonien (n.); Interglaciaire sangamonien   Sangamon; Sangamonian (n.); Sangamonian Interglacial Stage

sangamonien (adj.)   Sangamonian (adj.)

sapement; excavation   sapping; cliff erosion; undermining; undercutting

sapement basal   basal sapping

sapement par source; sapement régressif   spring-sapping

sastrugi	sastrugi; zastrugi
sédimentation; dépôt (2)	deposition
sédiment de contact glaciaire; dépôt de contact glaciaire; sédiment juxtaglaciaire	ice-contact deposit
sédiments fluvioglaciaires; fluvioglaciaire (n.m.); dépôt fluvioglaciaire	glaciofluvial drift; fluvioglacial drift; glaciofluvial deposit; fluvioglacial deposit
sédiments glaciaires (1); matériaux de transport glaciaire	drift
sédiments glaciaires (2); dépôt glaciaire	glacial deposit; glacial drift
segment de moraine	moraine segment
séquence de varves; séquence varvaire	varve sequence
seuil de glaciation	glaciation limit
seuil glaciaire; verrou	riegel; threshold; rock bar
silt	silt
sol enfoui; sol enterré	buried soil
sol fossile	fossil soil
solifluxion	solifluction; soil flow
soulèvement isostatique; relèvement isostatique	isostatic uplift; isostatic rebound
sous-chrone polaire; événement polaire	polarity event; polarity subchron; geomagnetic polarity event
sous-chronozone polaire	polarity subchronozone
sous-glaciaire; infraglaciaire	subglacial; infraglacial
sous-zone polaire	polarity subzone
stade; stade glaciaire; stadiaire (n.)	stade; stadial (n.)
stagnation	stagnation
stockage; retenue	ponding

stratification	stratification
stratifié	stratified
stratotype	type section
strie; striure	striation; scratch
strié	striated
strie en coin	wedge stria
strie en tête de clou; clouure	nailhead striation; nailhead scratch
stries glaciaires	glacial striations; glacial striae
striure; strie	striation; scratch
structure de chevauchement glaciaire	ice-thrust structure
structure de dissolution; forme de dissolution	solution form; solution feature
subaérien	subaerial
subaquatique	subaqueous
submergence; submersion	submergence
submerger	submerge (v.)
substratum rocheux; roche en place	bedrock
superchrone polaire; période de polarité géomagnétique	polarity superchron; polarity period
superchronozone polaire	polarity superchronozone
superzone polaire	polarity superzone
supraglaciaire	superglacial; supraglacial
surcreusement	overdeepening
surface d'aplanissement VOIR surface d'érosion	
surface d'érosion	erosion surface
surface tronquée	truncated surface
surraidissement	oversteepening

synchrone	synchronous
synchronisme	synchroneity; synchronism

T

tablier d'éboulis; pente d'éboulis	talus slope
talik	talik
talweg; thalweg	talweg; thalweg
tardiglaciaire	late glacial
température de fusion in situ; température de fusion sous pression	pressure melting temperature; pressure melting point
température minimale absolue	absolute minimum temperature
téphrochronologie	tephrochronology
terrasse alluviale; terrasse de remblaiement	alluvial terrace; stream-built terrace; drift terrace
terrasse d'altiplanation	altiplanation terrace
terrasse de débordement	overwash terrace
terrasse de kame; terrasse juxtaglaciaire	kame terrace; ice-contact terrace; ice marginal terrace
terrasse d'épandage fluvioglaciaire; terrasse frontale	outwash terrace; frontal terrace
terrasse de remblaiement; terrasse alluviale	alluvial terrace; stream-built terrace; drift terrace
terrasse de remblaiement emboîtée	fill-in fill terrace
terrasse emboîtée	inset terrace
terrasse frontale; terrasse d'épandage fluvioglaciaire	frontal terrace; outwash terrace
terrasse juxtaglaciaire; terrasse de kame	kame terrace; ice-contact terrace; ice marginal terrace

terrasses couplées	paired terraces; matched terraces
terrasses en gradins; terrasses étagées	terrace flight; stepped terrace
thalweg; talweg	thalweg; talweg
théorie de Milankovitch	Milankovitch theory
thermokarst; cryokarst	thermokarst; cryokarst
till	till
till cannelé	fluted till
till d'ablation	ablation till
till de coulée boueuse	mudflow till
till d'écoulement; till flué	flowtill
till d'entraînement; till de translocation	deformation till
till de fond (1)	lodgement till; lodgment till; comminution till
till de fond (2)	basal till; accretion till
till de fusion	melt-out till
till de translocation; till d'entraînement	deformation till
till d'iceberg; till submergé	berg till; floe till; subaqueous till; glacionatant till
till flué; till d'écoulement	flowtill
tillite	tillite
till primaire	primary till
till secondaire	secondary till
till submergé; till d'iceberg	berg till; floe till; subaqueous till; glacionatant till
topographie en bosses et creux	knob-and-kettle topography; knob-and-basin topography; kame-and-kettle topography

topographie en formes dissymétriques; formes dissymétriques	stoss-and-lee topography; stoss-and-lee features
tor	tor
tourbière minérotrophe	fen
tourbière oligotrophe	bog
trainée; alignement	train
traînée de blocs glaciaires	boulder train
traînée de dispersion	dispersal shadow
traînée fluvioglaciaire	valley train; outwash train
traînée morainique	moraine train
traînée sédimentaire	depositional tail
transfluence glaciaire	glacial transfluence
transgression marine; invasion marine	marine invasion; marine transgression
transport glaciel	ice-rafting
troncature	truncation
trou à cryoconite; urne de cryoconite	cryoconite hole

Union internationale pour l'étude du Quaternaire; INQUA	International Union for Quaternary Research; INQUA
unité magnétopolaire	magnetopolarity unit; magnetostratigraphic polarity unit; polarity rock-stratigraphic unit
unité magnétostratigraphique	magnetostratigraphic unit
unité polaro-chronostratigraphique	polarity chronostratigraphic unit
unité polaro-géochronologique	polarity chronologic unit

135

urne de cryoconite; trou à cryoconite — cryoconite hole

vallée à parois surraidies	oversteepened valley
vallée en auge; vallée en U	trough valley; U-shaped valley; U-valley
vallée enfouie	buried valley
vallée ennoyée	drowned valley
vallée en U; vallée en auge	U-shaped valley; U-valley; trough valley
vallée glaciaire	glacial valley
vallée structurale	structural valley
vallée submergée	submerged valley
vallée surcreusée	overdeepened valley
vallée suspendue	hanging valley; hanging trough; perched glacial valley
vallée tunnel	tunnel valley
vallum morainique; moraine frontale (2)	frontal moraine (2)
varve	varve
vêlage	calving
vêlage à terre	dry calving
vêler	calve (v.)
ventifact; caillou éolisé	ventifact
verrou; seuil glaciaire	riegel; threshold; rock bar
versant cataclinal; revers de cuesta	cuesta backslope

zone

versant colluvial | basal slope; wash slope

voie terrestre; pont continental | land bridge

W

Wisconsinien (n.) | Wisconsinan (n.); Wisconsinan Glacial Stage

wisconsinien (adj.) | Wisconsinan (adj.)

Würm
VOIR Wisconsinien (n.)

X

xérothermique | xerothermic

Y

Yarmouthien (n.); Interglaciaire yarmouthien | Yarmouthian (n.); Yarmouthian Interglacial Stage

yarmouthien (adj.) | Yarmouth (adj.); Yartmouthian (adj.)

Z

zone d'ablation | ablation area; ablation zone

zone

zone d'accumulation; région d'accumulation	accumulation area; accumulation zone; nourishment area; zone of accumulation
zone de polarité; zone magnétopolaire; zone polaire	polarity zone; magnetostratigraphic polarity zone; magnetopolarity zone
zone de réalimentation (prop.)	ice-receiving area
zone de transition polaire	polarity transition-zone
zone magnétopolaire; zone polaire; zone de polarité	magnetopolarity zone; polarity zone; magnetostratigraphic polarity zone

Annexe I / Appendix I

Principales subdivisions du Quaternaire en Amérique du Nord

		Étage	Sous-étage	Âge Approx. (ka)
Quaternaire	Holocène			
				— 10 —
	Pléistocène — Supérieur	Wisconsinien	Supérieur	
				— 25 —
			Moyen	
				— 60 —
			Inférieur	
				— 80 —
		Sangamonien		
				— 130 —
	Moyen	Illinoien		
				— 400 —
		Yarmouthien		
				— 600 —
		Kansanien		— 790 —
				— 1000 —
	Inférieur	Aftonien		
				— 1200 —
		Nébraskien		= 1650 =
Tertiaire	Pliocène			— 1870 —

Main Subdivisions of the Quaternary in North America

		Stage	Sub-stage	Approx. Age (ka)
Quaternary	Holocene			
				— 10 —
	Pleistocene (Late)	Wisconsinan	Late	
				— 25 —
			Middle	
				— 60 —
			Early	
				— 80 —
		Sangamonian		
				— 130 —
	Pleistocene (Middle)	Illinoian		
				— 400 —
		Yarmouthian		
				— 600 —
	Pleistocene (Early)	Kansan		— 790 —
				— 1000 —
		Aftonian		
				— 1200 —
		Nebraskan		═ 1650 ═
Tertiary	Pliocene			— 1870 —

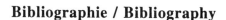

Bibliographie / Bibliography

Aubouin, Jean ; Brousse, Robert ; Lehman, Jean-Pierre. — Précis de géologie. — 2ᵉ éd. — Paris : Dunod, c1975. — 2 vol. — (Collection Dunod université). — Sommaire : vol. 1, Pétrologie ; vol. 2, Paléontologie. — ISBN 2-0400-3588-5 (vol. 1), ISBN 2-0400-3709-8 (vol. 2)

Baulig, Henri. — Vocabulaire franco-anglo-allemand de géomorphologie. — Paris : Éditions Ophrys, 1970. — xiv, 229 p. — (Publications de la Faculté des lettres de Strasbourg) (Publications / Fondation Baulig ; t. 4)

Bouchard, Michel A. — "Subglacial Landforms and Deposits in Central and Northern Québec, Canada, with Emphasis on Rogen Moraines". — Sedimentary Geology. — Vol. 62 (1989). — ISSN 0037-0738. — P. 293-308

Boulin, Jean. — Méthodes de la stratigraphie et géologie historique. — Paris : Masson, 1977. —.xii, 226 p. — (Collection sciences de la terre). — ISBN 2-2254-5903-7

Bowen, D.Q. — Quaternary Geology : A Stratigraphic Framework for Multidisciplinary Work. — Oxford : Pergamon Press, c1978. — xi, 221 p. — (Pergamon International Library of Science, Technology, Engineering and Social Studies). — ISBN 0-0802-0601-8

Castany, G. ; Margat, J. — Dictionnaire français d'hydrogéologie. — Orléans (France) : Bureau de recherches géologiques et minières, Service géologique national, 1977. — 249 p.

Clark, Thomas H. ; Stearn, Colin W. — Geological Evolution of North America. — 2nd ed. — New York : Ronald Press, 1968. — viii, 570 p.

Code stratigraphique nord-américain. — [Québec] : Ministère de l'énergie et des ressources, Direction générale de l'exploration géologique et minérale, 1986. — xv, 58 p. — (Documents variés ; 86-02). — ISBN 2-5501-6146-7

Commission internationale de drainage et d'irrigation. — Multilingual Technical Dictionary on Irrigation and Drainage : English-French = Dictionnaire technique multilingue des irrigations et du drainage : anglais-français. — New Delhi : la Commission, 1967. — 805 p.

Cormier, C. ; Marchand-Kreuser, M. — « La terminologie des dépôts morainiques ». — L'Actualité terminologique : bulletin mensuel du Bureau des traductions = Terminology Update : monthly bulletin of the Translation Bureau. — Vol. 21, n° 6 (1988). — ISSN 0001-7779. — P. 6-9

Dating Methods of Pleistocene Deposits and Their Problems. — Edited by Nathaniel W. Rutter. — St. John's (Nfld.) : Geological Association of Canada, 1985. — 86 p. — (Geoscience Canada Reprint Series ; 2)

Derruau, M. — Précis de géomorphologie. — 6ᵉ éd. ent. ref. — Paris : Masson, 1974. — xii, 453 p. — ISBN 2-2253-9743-0

Dictionary of Earth Science, English-French, French-English = Dictionnaire des sciences de la terre, anglais-français, français-anglais. — Edited by J.P. Michel, Rhodes W. Fairbridge. — New York : Masson Pub. USA, c1980. — 411 p. — ISBN 0-8935-2076-4

Dictionnaire de la géographie. — Sous la direction de Pierre George. — 3ᵉ éd. rev. et augm. — Paris : Presses universitaires de France, 1984. — 485 p.

Dictionnaire de l'eau. — Association québécoise des techniques de l'eau, Comité d'étude des termes de l'eau, Office de la langue française. — [Montréal] : Gouvernement du Québec, l'Office, c1981. — xiv, 544 p. — (Cahiers de l'Office de la langue française). — ISBN 2-5510-4229-1

Dott, Robert H. ; Batten, Roger L. — Evolution of the Earth. — 3rd ed. — New York : McGraw-Hill, c1981. — vii, 573, 113 p. — ISBN 0-0701-7625-6

Dyke, Arthur S. ; Dredge, Lynda A. ; Vincent, Jean-S. — "Canada's Last Great Ice Sheet". — Geos. — Vol. 12, no. 4 (Fall 1983). — ISSN 0374-3268. — P. 6-9

Embleton, Clifford ; King, Cuchlaine A.M. — Glacial Geomorphology. — 2nd ed. — London : E. Arnold, 1975. — x, 573 p. — (Their Glacial and Periglacial Geomorphology ; vol. 1). — ISBN 0-7131-5791-7

The Encyclopedia of Applied Geology. — Edited by Charles W. Finkl, Jnr. — New York : Van Nostrand Reinhold, c1984. — xxviii, 644 p. — (Encyclopedia of Earth Sciences ; vol. 13) ISBN 0-4422-2537-7

The Encyclopedia of Geochemistry and Environmental Sciences. — Edited by Rhodes W. Fairbridge. — Stroudsburg (Pa.) : Dowden Hutchinson and Ross, 1972. — xxi, 1321 p. — (Encyclopedia of Earth Sciences Series ; vol. 4A). — ISBN 0-8793-3180-1

The Encyclopedia of Geomorphology. — Edited by Rhodes W. Fairbridge. — Stroudsburg (Pa.) : Dowden, Hutchinson & Ross, c1968. — xvi, 1295 p. — (Encyclopedia of Earth Sciences Series ; vol. 3)

The encyclopedia of sedimentology. — Edited by Rhodes W. Fairbridge, Joanne Bourgeois. — Stroudsburg (Pa.) : Dowden, Hutchinson & Ross, c1978. — xvi, 901 p. — (Encyclopedia of earth sciences series ; vol. 6). — ISBN 0-8793-3152-6

Filliat, Georges. — La pratique des sols et fondations. — Paris : Éditions du Moniteur, 1981. — xx, 1392 p. — ISBN 2-8628-2162-4

Flint, Richard Foster. — Glacial and Quaternary Geology. — New York : Wiley, 1971. — xii, 892 p. — ISBN 0-4712-6435-0

Foucault, Alain ; Raoult, Jean-François — Dictionnaire de géologie. — 3ᵉ éd. rev. et augm. — Paris : Masson, 1988. — 352 p. — (Guides géologiques régionaux). — ISBN 2-2258-1480-5

Gagnon, Hugues. — La photo aérienne : son interprétation dans les études de l'environnement et de l'aménagement du territoire. — Montréal : Éditions HRW, 1974. — ix, 278 p. — ISBN 0-0392-8248-1

Genetic Classification of Glacigenic Deposits : Final Report of the Commission on Genesis and Lithology of Glacial Quaternary Deposits of the International Union for Quaternary Research (INQUA). — Edited by R.P. Goldthwait, C.L. Matsch. — Rotterdam : A.A. Balkema, 1989. — ix, 294 p. — ISBN 9-0619-1694-1

Géographie générale. — Publié sous la direction d'André Journaux, Pierre Deffontaines, Mariel Jean-Brunhes Delamarre. — Paris : Gallimard, 1966. — xx, 1884 p. — (Encyclopédie de la Pléiade ; 20)

Geological Nomenclature : English, Dutch, French, German, Spanish. — Edited by W.A. Visser. — Utrecht : Bohn, Scheltema & Holkema ; Boston : M. Nijhoff, 1980. — xxvi, 540 p. — ISBN 9-0313-0407-7

Géologie. — Publié sous la direction de Jean Goguel. — Paris : Gallimard, 1972-1973. — 2 vol. — (La terre ; t. 2-3) (Encyclopédie de la Pléiade ; vol. 31, 35). — Sommaire : vol. 1, La composition de la terre ; vol. 2, L'évolution de la terre

Géophysique. — Sous la direction de Jean Goguel. — Paris : Gallimard, 1971. — xxii, 1304 p. — (La terre ; t. 1) (Encyclopédie de la Pléiade ; vol. 8)

Glacial Till : An Inter-Disciplinary Study. — Edited by Robert F. Legget. — Ottawa : Royal Society of Canada : National Research Council of Canada, c1976. — x, 412 p. — (Special Publication ; no. 12). — ISBN 0-9200-6402-7

Glossary of Geology. — Robert L. Bates, Julia A. Jackson, editors. — 3rd ed. — Alexandria (Va.) : American Geological Institute, c1987. — x, 788 p. — ISBN 0-9133-1289-4

Glossary of Permafrost and Related Ground-Ice Terms. — Prepared by S.A. Harris et al. — Ottawa : National Research Council Canada, 1988. — 156 p. — (Technical Memorandum ; no. 142). — ISBN 0-6601-2540-4

Gravenor, C.P. ; Kupsch, W.O. — "Ice-Disintegration Features in Western Canada". — The Journal of Geology. — Vol. 67 (1959). — ISSN 0022-1376. — P. 48-64

Guide stratigraphique international : classification, terminologie et règles de procédures. — Sous la direction de Hollis D. Hedberg. — Paris : Doin, 1979. — xiv, 233 p. — ISBN 2-7040-0349-1

Hamelin, Louis-Edmond ; Cook, Frank A. — Le périglaciaire par l'image = Illustrated Glossary of Periglacial Phenomena. — Québec : Presses de l'Université Laval, 1967. — 237 p. — (Travaux et documents du Centre d'études nordiques ; 4)

Hardy, Léon. — « La déglaciation et les épisodes lacustre et marin sur le versant québécois des basses terres de la Baie James ». — Géographie physique et quaternaire. — Vol. 31, nᵒˢ 3-4 (1977). — ISSN 0705-7199. — P. 261-273

Hillaire-Marcel, Claude. — « Les isotopes du carbone et de l'oxygène dans les mers post-glaciaires du Québec ». — Géographie physique et quaternaire. — Vol. 31, nᵒˢ 1-2 (1977). — ISSN 0705-7199. — P. 81-106

International Union of Geological Sciences. International Subcommission on Stratigraphic Classification. — International Stratigraphic Guide : A Guide to Stratigraphic Classification, Terminology, and Procedure. — Hollis D. Hedberg, editor. — New York : Wiley, 1976. — xvi, 200 p. — ISBN 0-4713-6743-5

King, L.H. ; Fader, G.B.J. — Wisconsinan Glaciation of the Atlantic Continental Shelf of Southeast Canada. — Ottawa : Geological Survey of Canada, 1986. — vii, 72 p. — (Bulletin ; 363). — ISBN 0-6601-1927-7

Krumbein, W.C. ; Sloss, L.L. — Stratigraphy and Sedimentation. — 2nd ed. — San Francisco : W.H. Freeman, 1963. — xvi, 660 p. — (A Geology Series)

Landry, Bruno ; Mercier, Michel. — Notions de géologie : avec exemples du Québec. — 2ᵉ éd. — Outremont (Québec) : Modulo, 1984. — viii, 437 p. — ISBN 2-8911-3125-8

The Last Great Ice Sheets. — Edited by George H. Denton, Terence J. Hughes. — New York : Wiley, c1981. — xviii, 484 p. — ISBN 0-4710-6006-2

Laverdière, Camille ; Bernard, Claude ; Dionne, Jean-Claude. — « Les types de broutures glaciaires (Glacial Chattermarks) : 1, classification et nomenclature franco-anglaise ». — La Revue de géographie de Montréal. — Vol. 22, nᵒ 1 (1968). — ISSN 0035-1148. — P. 21-33

Laverdière, Camille ; Bernard, Claude ; Dionne, Jean-Claude. — « Les types de broutures glaciaires (Glacial Chattermarks) : 2, observations effectuées au Québec ». — La Revue de géographie de Montréal. — Vol. 22, nᵒ 2 (1968). — ISSN 0035-1148. — P. 159-173

Laverdière, Camille ; Guimont, Pierre. — « Le vocabulaire de la géomorphologie glaciaire : VI » — La Revue de géographie de Montréal. — Vol. 27, nᵒ 2 (1973). — ISSN 0035-1148. — P. 210-213

Laverdière, Camille ; Guimont, Pierre. — « Le vocabulaire de la géomorphologie glaciaire : VII ». — La Revue de géographie de Montréal. — Vol. 29, nᵒ 2 (1975). — ISSN 0035-1148. — P. 173-180

Laverdière, Camille ; Guimont, Pierre. — « Le vocabulaire de la géomorphologie glaciaire : VIII ». — La Revue de géographie de Montréal. — Vol. 29, n° 4 (1975). — ISSN 0035-1148. — P. 375-380

Laverdière, Camille ; Guimont, Pierre. — « Le vocabulaire de la géomorphologie glaciaire : IX : terminologie illustrée des formes mineures d'érosion glaciaire ». — Géographie physique et quaternaire. — Vol. 34, n° 3 (1980). — ISSN 0705-7199. — P. 363-377

Laverdière, Camille ; Guimont, Pierre. — « Les formes et les marques du lit glaciaire ». — Geos. — Vol. 10, n° 2 (printemps 1981). — ISSN 0374-3268. — P. 17-20

Laverdière, Camille ; Guimont, Pierre ; Dionne, Jean-Claude. — « Les formes et les marques de l'érosion glaciaire du plancher rocheux : signification, terminologie, illustration ». — Palaeogeography, Palaeoclimatology, Palaeoecology. — Vol. 51, nos. 1-4 (Oct. 1985). — ISSN 0031-0182. — P. 365-387

Lebuis, J. ; David, P.P. — « La stratigraphie et les événements du quaternaire de la partie occidentale de la Gaspésie, Québec ». — Géographie physique et quaternaire. — Vol. 31, n°ˢ 3-4 (1977). — ISSN 0705-7199. — P. 275-296

Lliboutry, Louis. — Traité de glaciologie. — Paris : Masson, 1964-1965. — 2 vol. — Sommaire : t. 1, Glace, neige, hydrologie navale ; t. 2, Glaciers, variations du climat, sols gelés

Lombard, Augustin. — Séries sédimentaires : genèse, évolution. — Paris : Masson, 1972. — vi, 425 p.

Lozet, Jean ; Mathieu, Clément. — Dictionnaire de science du sol : avec index anglais-français. — Paris : Technique et Documentation, Lavoisier, c1986. — viii, 269 p. — ISBN 2-8520-6342-5

McGraw-Hill Dictionary of Earth Sciences. — Sybil P. Parker, editor in chief. — New York : McGraw-Hill, c1984. — 837 p. — ISBN 0-0704-5252-0

McGraw-Hill Encyclopedia of the Geological Sciences. — Daniel N. Lapedes, editor in chief. — New York : McGraw-Hill, c1978. — 915 p. — ISBN 0-0704-5265-2

Méthodes de datation par les phénomènes nucléaires naturels : applications. — Sous la direction de Étienne Roth, Bernard Poty. — Paris : Masson, 1985. — x, 631 p. — (Collection du Commissariat à l'énergie atomique. Série scientifique). — ISBN 2-2258-0674-8

Mollard, J.D. — Landforms and Surface Materials of Canada : A Stereoscopic Airphoto Atlas and Glossary. — 6th ed. — Regina : J.D. Mollard, [1980?]. — Approx. 600 p.

National Research Council (U.S.). Transportation Research Board. — Landslides, Analysis and Control. — Robert L. Schuster, Raymond J. Krizek, editors. — Washington : National Academy of Sciences, 1978. — vii, 234 p. — (Special Report ; 176). — ISBN 0-3090-2804-3

North American Commission on Stratigraphic Nomenclature. — "North American Stratigraphic Code". — The American Association of Petroleum Geologists Bulletin. — Vol. 67, no. 5 (May 1983). — ISSN 0002-7464. — P. 841-875

Occhietti, Serge. — « Stratigraphie du wisconsinien de la région de Trois-Rivières - Shawinigan, Québec ». — Géographie physique et quaternaire. — Vol. 31, nos 3-4 (1977). — ISSN 0705-7199. — P. 307-322

Occhietti, Serge ; Hillaire-Marcel, Claude. — « Chronologie 14-C des événements paléogéographiques au Québec depuis 14,000 ans. » — Géographie physique et quaternaire. — Vol. 31, nos 1-2 (1977). — ISSN 0705-7199. — P. 123-133

Pomerol, Charles et al. — Stratigraphie et paléogéographie : principes et méthodes. — Paris : Doin, c1980. — 209 p. — ISBN 2-7040-0369-6

Prest, V.K. — Canada's Heritage of Glacial Features = L'héritage glaciaire du Canada. — Ottawa : Commission géologique du Canada, 1983. — 119 p. — (Miscellaneous report ; 29 = Rapport divers ; 29). — ISBN 0-6605-2188-1

Prest, V.K. — « Géologie du quaternaire au Canada ». — Géologie et ressources minérales du Canada. Partie B. — Ottawa : Ministère de l'énergie, des mines et des ressources, 1972. — (Série de la géologie économique ; n° 1). — P. 751-852

Prest, V.K. — Nomenclature of Moraines and Ice-Flow Features as Applied to the Glacial Map of Canada. — [Ottawa] : Dept. of Energy, Mines and Resources, 1975. — v, 27 p. — (Paper / Geological Survey of Canada ; 67-57)

Prest, V.K. — "Quaternary Geology of Canada". — Geology and Economic Minerals of Canada. — Ottawa : Dept. of Energy, Mines and Resources, 1970. — (Economic Geology Report ; no. 1) — P. 675-764

Prichonnet, C. et al. — Glaciations et déglaciations du Wisconsinien dans le sud du Québec (Région de Montréal). — Ottawa : Conseil national de recherches du Canada, 1987. — 53 p. — (Livret guide excursion ; A-7/C-7). — ISBN 0-6609-2060-3

Proulx, Gérard-J. — Standard Dictionary of Meteorological Sciences : English-French, French-English. — Montreal : McGill-Queen's University Press, 1971. — xxix, 307 p. — ISBN 0-7735-0066-9

Le quaternaire du Canada et du Groenland. — Rédacteur scientifique, R.J. Fulton. — Ottawa : Commission géologique du Canada, 1989. — 907 p. — (Géologie du Canada ; n° 1) (Geology of North America ; vol. K-1). — ISBN 0-6609-2537-0

Quaternary Geology of Canada and Greenland. — Edited by R.J. Fulton. —
Ottawa : Geological Survey of Canada, 1989. — 839 p. — (Geology of Canada ;
no. 1) (Geology of North America ; vol. K-1). — ISBN 0-6601-3114-5

Rey, J. — Biostratigraphie et lithostratigraphie : principes fondamentaux,
méthodes et applications. — Paris : Éditions Technip, 1983. — 181 p. —
(Publications de l'Institut français du pétrole) (Cours de l'École nationale
supérieure du pétrole et des moteurs). — ISBN 2-7108-0459-X

Roche, Marcel F. — Dictionnaire français d'hydrologie de surface : avec
équivalents en anglais, espagnol, allemand. — Paris : Masson, 1986. — 288 p.
— ISBN 2-2258-0739-6

Small, John ; Witherick, Michael. — A Modern Dictionary of Geography. —
London : E. Arnold, 1986. — vi, 233 p. — ISBN 0-7131-6435-2

Sugden, David E. ; John, Brian S. — Glaciers and Landscape : A
Geomorphological Approach. — Reprinted with additional references. —
London : E. Arnold, 1979. — viii, 376 p. — ISBN 0-7131-5840-9

Termier, Henri ; Termier, Geneviève. — Histoire de la terre. — Paris : Presses
universitaires de France, 1979. — 430 p. — ISBN 2-1303-5187-5

La terminologie du pergélisol et notions connexes. — Préparé par S.A. Harris et
al. — Ottawa : Conseil national de recherches Canada, 1988. — 154 p. —
(Mémoire technique ; n° 142). — ISBN 0-6601-2540-4

Tills and Related Deposits : Genesis, Petrology, Application, Stratigraphy. —
Edited by Edward B. Evenson, Ch. Schlüchter, Jorge Rabassa. — Rotterdam :
A.A. Balkema, 1983. — 454 p. — ISBN 9-0619-1511-2

Tricart, J. ; Cailleux, A. — Le modelé glaciaire et nival. — Paris : Société
d'édition d'enseignement supérieur, 1963. — 499 p.

United States. Naval Oceanographic Office. — Glossary of Oceanographic
Terms. — Edited by B.B. Baker, Jr., W.R. Deebel, R.D. Geisenderfer. —
2nd ed. — Washington : the Office, 1966. — vi, 204 p. — (Special Publication ;
SP-35)

Vanney, Jean-René. — Géomorphologie des plates-formes continentales. —
Paris : Doin, 1977. — 300 p. — ISBN 2-7040-0064-6

Verge, M. — « Quand il gèle à fendre l'âme ... ». — L'Actualité
terminologique : bulletin mensuel du Bureau des traductions = Terminology
Update : monthly bulletin of the Translation Bureau. — Vol. 16, n° 6 (août
1983). — ISSN 0001-7779. — P. 1-5

Veyret, Y. — « Essai sur la terminologie glaciaire ». — Géographie physique et
quaternaire. — Vol. 33, n° 2 (1979). — ISSN 0705-7199. — P. 205-222

Vincent, Jean-Serge. — La géologie du quaternaire et la géomorphologie de l'île Banks, Arctique canadien. — Ottawa : Commission géologique du Canada, 1983. — 118 p. — (Mémoire ; 405). — ISBN 0-6609-1078-0

Vocabulaire de la géomorphologie : index allemand et anglais. — Conseil international de la langue française. — Paris : Hachette : Maison du dictionnaire, 1979. — 218 p. — ISBN 2-8531-9064-1

Vocabulaire de l'hydrologie et de la météorologie. — Conseil international de la langue française. — Paris : Maison du dictionnaire, c1978. — 239 p. — ISBN 2-8531-9048-X

Vocabulaire de l'océanologie. — Conseil international de la langue française. — Paris : C.I.L.F. : Agence de coopération culturelle et technique : Hachette, c1976. — 431 p. — ISBN 2-8531-9028-5

Whittow, John B. — The Penguin Dictionary of Physical Geography. — Harmondsworth : Penguin Books, 1984. — 591 p. — ISBN 0-1405-1094-X

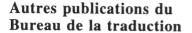

Autres publications du Bureau de la traduction

Other Translation Bureau Publications

Bulletins de terminologie

- Additifs alimentaires
- Administration municipale
- Administration publique et gestion
- Agriculture
- Bancaire
- Barrages
- Biotechnologie végétale
- Bourse et placement
- Budgétaire, comptable et financier
- Céramiques techniques
- Conditionnement d'air
- Cuivre et ses alliages
- Élections
- Fiscalité
- Génériques en usage dans les noms géographiques du Canada
- Génie cellulaire (structure cellulaire)
- Génie génétique
- Guerre spatiale
- Hélicoptères
- Intelligence artificielle
- Langage Ada
- Langage parlementaire
- Libre-échange
- Logement et sol urbain
- Lois fédérales (Lexique juridique)
- Loisirs et parcs
- Micrographie
- Muséologie

Terminology Bulletins

- Acid Precipitation and Air Pollution
- Ada Language
- Advanced Ceramics
- Agriculture
- Air-Conditioning
- Artificial Intelligence
- Banking
- Budgetary, Accounting and Financial
- Cell Engineering (Cell Structure)
- Collection of Definitions in Federal Statutes
- Copper and its Alloys
- Dams
- Educational Technology and Training
- Elections
- Emergency Preparedness
- Federal Statutes (Legal Glossary)
- Food Additives
- Free Trade
- French Nomenclature of North American Birds
- Generic Terms in Canada's Geographical Names
- Genetic Engineering
- Health Services
- Helicopters
- Housing and Urban Land
- Language of Parliament
- Medical Signs and Symptoms
- Micrographics

- Nomenclature française des oiseaux d'Amérique du Nord
- Pensions
- Précipitations acides et pollution atmosphérique
- Protection civile
- Recueil des définitions des lois fédérales
- Sémiologie de l'appareil locomoteur (signes cliniques)
- Sémiologie de l'appareil locomoteur (signes d'imagerie médicale)
- Sémiologie médicale
- Services de santé
- Sports d'hiver
- Station spatiale
- Statistique et enquêtes
- Technologie éducative et formation
- Titres de lois fédérales
- Transport des marchandises dangereuses
- Transports urbains
- Vérification publique

Collection Lexique

- Aménagement du terrain
- Bureautique
- Caméscope
- Chauffage central
- Classification et rémunération
- Diplomatie
- Dotation en personnel
- Droits de la personne
- Économie
- Éditique
- Emballage
- Enseignement postsecondaire
- Explosifs
- Géotextiles
- Gestion des documents
- Gestion financière
- Immobilier
- Industries graphiques
- Informatique

- Municipal Administration
- Museology
- Parks and Recreation
- Pensions
- Plant Biotechnology
- Public Administration and Management
- Public Sector Auditing
- Signs and Symptoms of the Musculoskeletal System (Clinical Findings)
- Signs and Symptoms of the Musculoskeletal System (Medical Imaging Signs)
- Space Station
- Space War
- Statistics and Surveys
- Stock Market and Investment
- Taxation
- Titles of Federal Statutes
- Transportation of Dangerous Goods
- Urban Transportation
- Winter Sports

Glossary Series

- Acid Rain
- Camcorder
- Central Heating
- Classification and Pay
- Construction Projects
- Desktop Publishing
- Diplomacy
- Economics
- Explosives
- Financial Management
- Geotextiles
- Graphic Arts
- Human Rights
- Informatics
- Labour Relations
- Management Planning
- Meetings
- Office Automation
- Packaging

- Mécanique des sols et
  fondations
- Planification de gestion
- Pluies acides
- Procédure parlementaire
- Projets de construction
- Relations du travail
- Reprographie
- Réunions
- Services sociaux

- Parliamentary Procedure
- Postsecondary Education
- Realty
- Records Management
- Reprography
- Site Development
- Social Services
- Soil Mechanics and Foundations
- Staffing

Collection Lexiques ministériels

Departmental Glossary Series

- Assurance-chômage
- Emploi
- Immigration

- Employment
- Immigration
- Unemployment Insurance

Langue et traduction

Language and Translation

- Aide-mémoire d'autoperfectionnement à l'intention des traducteurs et
  des rédacteurs
- Guide du rédacteur de l'administration fédérale
- Lexique analogique
- The Canadian Style: A Guide to Writing and Editing
- Vade-mecum linguistique

Autre publication

Other Publication

- Bibliographie sélective :
  Terminologie et disciplines
  connexes

- Selective Bibliography:
  Terminology and Related
  Fields

L'Actualité terminologique

Terminology Update

Bulletin d'information portant sur
la recherche terminologique et la
linguistique en général.
(Abonnement annuel, 4 numéros)

Information bulletin on
terminological research and
linguistics in general. (Annual
subscription, 4 issues)

On peut se procurer toutes les
publications en écrivant à
l'adresse suivante :

Groupe Communication
  Canada — Édition
Ottawa (Ontario)
K1A 0S9
tél. : (819) 956-4802

ou chez votre libraire local.

All publications may be obtained
at the following address:

Canada Communication
  Group — Publishing
Ottawa, Ontario
K1A 0S9
tel.: (819) 956-4802

or through your local bookseller.